SOBRE A AMIZADE
& PARA SABER ENVELHECER

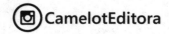

CÍCERO

SOBRE A AMIZADE & PARA SABER ENVELHECER

Camelot
EDITORA

CONHEÇA NOSSO LIVROS
ACESSANDO AQUI!

Copyright desta tradução © IBC - Instituto Brasileiro De Cultura, 2023

Título original: Old Age; On Friendship
Reservados todos os direitos desta tradução e produção, pela lei 9.610 de 19.2.1998.

3ª Impressão 2023

Presidente: Paulo Roberto Houch
MTB 0083982/SP

Coordenação Editorial: Priscilla Sipans
Coordenação de Arte: Rubens Martim
Tradução: Fabio Kataoka
Preparação de texto: Leonan Mariano e Lilian Rozati
Revisão: Mirella Moreno

Vendas: Tel.: (11) 3393-7727 (comercial2@editoraonline.com.br)

Foi feito o depósito legal.
Impresso na China

Dados Internacionais de Catalogação na Publicação (CIP)
de acordo com ISBD

C568s   Cícero

           Sobre a Amizade & Para saber envelhecer / Cícero. - Barueri:
           Camelot Editora, 2023.
           144 p. ; 15,1cm x 23cm.

           ISBN: 978-65-85168-51-9

           1. Filosofia. I. Título.

2023-1803   CDD 100
                                                    CDU 1

Elaborado por Vagner Rodolfo da Silva - CRB-8/9410

IBC — Instituto Brasileiro de Cultura LTDA
CNPJ 04.207.648/0001-94
Avenida Juruá, 762 — Alphaville Industrial
CEP. 06455-010 — Barueri/SP
www.editoraonline.com.br

SUMÁRIO

Biografia..7

PARA SABER ENVELHECER.. 13

SOBRE A AMIZADE 71

BIOGRAFIA

MARCO TÚLIO CÍCERO, o maior dos oradores romanos e o principal mestre do estilo da prosa latina, nasceu em Arpino em 3 de janeiro de 106 a.C. Seu pai, que era um homem de posses e pertencia à classe dos "Cavaleiros", mudou-se para Roma quando Cícero ainda era criança. O futuro estadista recebeu uma educação elaborada em retórica, direito e filosofia, estudando e praticando com alguns dos mais renomados professores da época. Ele iniciou sua carreira como advogado aos vinte e cinco anos e quase imediatamente foi reconhecido não apenas como um homem de talento brilhante, mas também como um defensor corajoso da justiça diante de graves perigos políticos. Após dois anos de prática, ele deixou Roma para viajar pela Grécia e Ásia, aproveitando todas as oportunidades para estudar sua arte sob mestres renomados.

Ele retornou a Roma muito melhor de saúde e habilidade profissional e, em 76 a.C., foi eleito para o cargo de questor[1]. Foi designado para a província de Lilybaeum[2] na Sicília, e o vigor e justiça de sua administração lhe renderam a gratidão dos habitantes. Foi a pedido deles que ele empreendeu, em 70 a.C., a acusação de Verres, que, como pretor, havia submetido os sicilianos a uma extorsão e opressão inimagináveis, e sua condução bem-sucedida desse caso, que resultou na condenação e banimento do acusado, pode-se dizer que lançou sua carreira

---

1 Cargo administrativo que tinha sob sua tutela as finanças do Estado. (N. do R.)
2 Atual município de Marsala, na província de Trapani. (N. do R.)

CÍCERO

política. Ele se tornou edil[3] no mesmo ano, pretor[4] em 67 a.C. e, em 64 a.C., foi eleito cônsul por uma grande maioria.

O evento mais importante do ano de seu consulado foi a Primeira Conspiração Catilinária[5]. Esse notório criminoso patrício havia conspirado com vários outros, muitos deles jovens de alta linhagem, mas de caráter dissipado, para apoderar-se dos principais cargos do Estado e se livrar das dificuldades financeiras e outras resultantes de seus excessos, por meio do saque em grande escala da cidade. A trama foi desmascarada pela vigilância de Cícero, cinco dos traidores foram sumariamente executados, e na derrota do exército que havia sido reunido em seu apoio, Catilina pereceu.

Cícero considerava-se o salvador de sua pátria, e seu país, por um momento, parecia concordar com gratidão. No entanto, reveses estavam por vir. Durante a existência da combinação política de Pompeu, César e Crasso, conhecida como o primeiro triunvirato, P. Clódio[6], um inimigo de Cícero, propôs uma lei banindo "qualquer pessoa que tivesse matado cidadãos romanos sem julgamento". Isso tinha como alvo Cícero por causa de sua participação no caso de Catilina, e em março de 58 a.C., ele deixou Roma. No mesmo dia, uma lei foi aprovada que o bania pelo nome, e sua propriedade foi saqueada e destruída, sendo erguido um templo à Liberdade no local de sua casa na cidade.

---

3   Cargo político que administra os serviços públicos. (N. do R.)
4   Cargo político que desempenha ações de magistratura jurídica para o povo. (N. do R.)
5   Evento em que Lúcio Sérgio Catilina (108 a.C. - 62 a.C.), militar e senador romano, tentou derrubar o poder romano. Cícero trabalhou para impedir que isso ocorresse. (N. do T.)
6   Públio Clódio Pulcro (93 a.C. - 52 a.C.) foi senador romano. (N. do T.)

BIOGRAFIA

Durante seu exílio, a coragem de Cícero o abandonou em certa medida. Ele vagou de um lugar para outro, buscando a proteção de autoridades contra assassinato, escrevendo cartas nas quais instigava seus apoiadores a agitarem por seu retorno, às vezes acusando-os de falta de entusiasmo e até de traição, lamentando a ingratidão de seu país ou lastimando o curso de ação que havia levado à sua proscrição e sofrendo de extrema depressão por causa de sua separação de sua esposa e filhos, e do fracasso de suas ambições políticas. Finalmente, em agosto de 57 a.C., o decreto para sua restauração foi aprovado, e ele retornou a Roma no mês seguinte, sendo recebido com imenso entusiasmo popular.

Durante os próximos anos, a renovação do entendimento entre os triúnviros excluiu Cícero de qualquer papel de liderança na política, e ele retomou sua atividade nos tribunais, sendo seu caso mais importante, talvez, a defesa de Milo pelo assassinato de Clódio, seu inimigo mais problemático. Essa oração, na forma revisada que nos chegou, é considerada como uma das melhores amostras da arte do orador, embora em sua forma original não tenha conseguido garantir a absolvição de Milo. Ao mesmo tempo, Cícero também dedicou muito tempo à composição literária, e suas cartas mostram grande desânimo com a situação política e uma atitude um tanto vacilante em relação aos diversos partidos do Estado. Em 55 a.C., ele foi para Cilícia, na Ásia Menor, como procônsul[7], um cargo que ele administrou com eficiência e integridade nos assuntos civis e com sucesso no campo militar. Ele retornou à Itália no final do ano seguinte,

---

7 Governador de uma província previamente escolhido pelo senado. (N. do T.)

CÍCERO

e foi publicamente agradecido pelo senado por seus serviços, mas ficou decepcionado em suas esperanças por um triunfo.

A guerra pela supremacia entre César e Pompeu, que há algum tempo vinha se tornando cada vez mais certa, irrompeu em 49 a.C., quando César liderou seu exército através do Rubicão, e Cícero, após muita indecisão, se aliou a Pompeu, que foi derrubado no ano seguinte na batalha de Farsalos e posteriormente assassinado no Egito. Cícero retornou à Itália, onde César o tratou com magnanimidade, e por algum tempo ele se dedicou à escrita filosófica e retórica.

Em 46 a.C., ele se divorciou de sua esposa Terentia, com quem havia sido casado por trinta anos, e casou-se com a jovem e rica Publilia, a fim de se livrar de dificuldades financeiras; mas também se divorciou dela pouco depois. César, que agora se tornara supremo em Roma, foi assassinado em 44 a.C., e embora Cícero não tenha participado da conspiração, parece ter aprovado o ato. Na confusão que se seguiu, ele apoiou a causa dos conspiradores contra Antônio; e quando finalmente o triunvirato de Antônio, Otaviano e Lépido foi estabelecido, Cícero foi incluído entre os proscritos, e em 7 de dezembro de 43 a.C., ele foi morto por agentes de Antônio. Sua cabeça e mão foram cortadas e exibidas em Roma.

Para seus contemporâneos, Cícero era principalmente o grande orador forense e político de sua época, e os cinquenta e oito discursos que chegaram até nós testemunham a habilidade, sagacidade, eloquência e paixão que lhe garantiram sua preeminência. Mas esses discursos tratam necessariamente de detalhes minuciosos das ocasiões que os motivaram, e assim exigem, para sua apreciação, um conhecimento

BIOGRAFIA

completo da história, política e pessoal, da época. As cartas, por outro lado, são menos elaboradas tanto em estilo quanto no tratamento dos eventos correntes, ao mesmo tempo em que servem para revelar sua personalidade e lançar luz sobre a vida romana nos últimos dias da República de maneira extremamente vívida.

Cícero, como homem, apesar de sua autoimportância, da vacilação de sua conduta política em crises desesperadoras e da lamentável desesperança em seus momentos de adversidade, destaca-se como essencialmente um romano patriótico de substancial honestidade, que dedicou sua vida a conter a inevitável queda da república à qual era devoto. Os males que minavam a República apresentam tantas semelhanças marcantes com aqueles que ameaçam hoje a vida cívica e nacional da América que o interesse pelo período está longe de ser apenas histórico. Como filósofo, a função mais importante de Cícero foi familiarizar seus compatriotas com as principais escolas de pensamento grego. Muitos desses escritos são, portanto, de interesse secundário para nós em comparação com seus originais, mas nos campos da teoria religiosa e da aplicação da filosofia à vida, ele fez importantes contribuições de primeira mão.

Desses trabalhos, foram selecionados os dois tratados, Para Saber Envelhecer e Sobre a Amizade, que se mostraram de maior interesse duradouro e difundido para a posteridade e que dão uma clara impressão de como um romano de elevado espírito pensava sobre alguns dos principais problemas da vida humana.

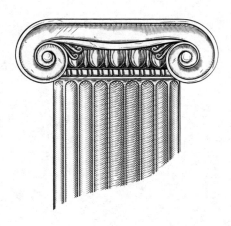

PARA SABER ENVELHECER

I

Qual será, então, minha recompensa, Tito, se alivio tua pena e se apaziguo o tormento que te faz sofrer?

Pois me é permitido, Ático, dirigir-me a você com os mesmos versos que foram dirigidos a Flaminino,

esse homem sem recursos, mas cheio de boa-fé;

apesar de estar quase certo que não irás, como Flaminino, inquietar-te de dor assim, Tito, dias e noites[8].

Percebo a grandeza de sua mente bem equilibrada, e sei que você trouxe mais do que apenas um sobrenome de Atenas, mas também sua cultura e sabedoria. No entanto, às vezes noto que você também é fortemente afetado pelas mesmas circunstâncias que eu. Consolá-lo sobre isso é uma questão séria que podemos abordar em outro momento. Por enquanto, decidi dedicar um ensaio a você sobre a velhice. Como estamos ambos enfrentando a iminência ou, pelo menos, o avanço da idade, pensei em escrever algo que pudesse nos aliviar. Tenho plena consciência de que você enfrenta e continuará enfrentando tudo isso com calma e filosofia, como sempre faz. No entanto, pensei em escrever sobre a velhice, e imediatamente pensei em você como alguém que merece um presente do qual ambos podemos nos beneficiar.

Para mim, escrever este livro foi para mim tão encantador que não apenas eliminou todos os aspectos desagradáveis da velhice, como também a tornou uma experiência luxuosa e

---

8   As citações são versos de Ênio (239-169 a.C.), contemporâneo de Catão. Tito é o prenome de Ático. (N. do T.)

amistosa. Nenhum elogio à filosofia é suficiente, considerando que seu discípulo fiel fora capaz de passar por todos os estágios da vida com serenidade. No entanto, sobre outros assuntos, falei o suficiente e ainda falarei muitas vezes, mas o livro que aqui estou enviando a você é sobre a velhice. Optei por colocar o discurso não nas palavras de Titono[9], como Aríston de Ceos[10] fez, pois uma mera fábula não teria tanta convicção; mas nas palavras de Marco Catão[11] quando ele já era um homem idoso, para dar mais peso ao meu ensaio. Coloco Lélio e Cipião[12] em sua casa, demonstrando surpresa ao ver a maneira como ele encara seus anos avançados, enquanto Catão os responde. Se ele parece demonstrar um pouco mais de conhecimento neste discurso do que em seus próprios livros, é porque sabe-se que se tornou um ávido estudante da literatura grega em sua velhice. Mas não é necessário entrar em mais detalhes. As próprias palavras de Catão explicarão imediatamente tudo o que sinto sobre esta temática.

---

9   O mito de Titono: homem transformado em cigarra após ter alcançado extrema velhice (por ter obtido de Zeus vida perene, mas não juventude eterna). (N. do T.)
10   Aríston de Ceos foi um filósofo peripatético e natural da ilha de Ceos.(N. do T.)
11   Marco Pórcio Catão foi um político e escritor da gente Pórcia da República Romana eleito cônsul em 195 a.C. (N. do T.)
12   Caio Lélio foi cônsul em 140 a.C. e Cipião Emiliano foi cônsul em 147 e em 134 a.C. (N. do T.)

II

Cipião: — Caio Lélio e eu, muitas vezes, durante conversas, admiramos sua imensa e quase que perfeita sabedoria, Catão, nos mais variados domínios. Mas um aspecto nos surpreende acima de tudo: você nunca pareceu considerar a velhice como algo penoso. No entanto, a maioria dos idosos diz ser algo tão difícil de suportar que se sentem carregando o peso do Monte Etna!

Catão: — Sua admiração é facilmente despertada, meus queridos Cipião e Lélio, ao que parece. Os homens, claramente, ao não possuírem os meios para garantir uma vida boa e feliz, veem cada fase desta como um fardo. Mas aqueles que buscam pela felicidade dentro de si nunca consideram ruins as necessidades da natureza. Nessa categoria, em primeiro lugar, está a velhice, que todos desejam alcançar, mas da qual todos reclamam quando alcançam. Tal é a incoerência e irracionalidade da insensatez!

Eles dizem que a idade está se aproximando mais rápido do que esperavam. Em primeiro lugar, quem os obrigou a abraçar tal ilusão? Pois, em que aspecto envelhecer rouba nossa vitalidade mais do que a adolescência rouba nossa infância? Em segundo lugar, como seria menos desagradável se estivessem em seus oitocentos anos, em vez de seus oitenta? Pois seu passado, por mais longo que tenha sido, uma vez passado, não trará conforto para uma velhice tola. Portanto, se lhes é costumeiro admirar minha sabedoria — e eu gostaria que ela fosse digna de seus elogios e do meu sobrenome de sábio — saibam que ela reside no fato de sempre seguir a Natureza — a melhor das guias — como se fosse ela um deus, sendo eu fiel aos seus comandos.

Não é provável que, tendo se dedicado às outras cenas do espetáculo da vida, acabe sendo negligente com o último ato, como um poeta preguiçoso. No final das contas, o "último" ato era inevitável; assim como para as bagas de uma árvore e os para frutos da terra, chega um momento de decadência e queda na plenitude do tempo. Um homem sábio não reclamará disso. Rebelar-se contra a natureza não é como lutar contra os deuses, caso fossemos nós gigantes?

Lélio: — E, no entanto, Catão, você nos fará um grande favor — falo por Cipião e por mim — se, como todos esperamos, ou pelo menos desejamos, permitir-nos envelhecer tendo com você aprendido, com antecedência, sobre os métodos pelos quais podemos adquirir força para suportar mais facilmente o fardo da idade avançada.

Catão: — Certamente o farei, Lélio, especialmente se for do agrado de ambos, como você diz.

Lélio: — Desejamos muito, Catão, se não for incômodo para você, sermos capazes de ver o caminho que você percorreu após completar uma longa jornada, por assim dizer, na qual também estamos prestes a embarcar.

III

Catão: — Farei o melhor que puder, Lélio. Muitas vezes tive a sorte de ouvir as queixas dos meus contemporâneos —, "cada qual com seu igual", como diz o velho provérbio — queixas que homens como Caio Salinator e Espúrio Albino, cônsules na minha época, costumavam fazer. Primeiro, eles reclamavam da perda dos prazeres proporcionados pelos sentidos, sem os quais não consideravam a vida como sendo, de fato, vida. Segundo, sentiam-se negligenciados por aqueles que costumavam lhes dar atenção. Esses homens, parece-me, culpam a velhice pelo que estão passando. No entanto, se tal culpa fosse realmente da acusada, os mesmos infortúnios teriam acontecido comigo e com todos os outros homens idosos. Porém, conheço muitos que nunca reclamaram de situações assim, pois se sentiam felizes ao serem libertos da escravidão imposta pelas paixões, e não eram menosprezados por seus amigos. A verdade é que a culpa por essas queixas deve ser atribuída ao caráter, não a uma fase específica da vida. Os idosos que são sensatos diferentes dos rabugentos e grosseiros acham a velhice bastante tolerável, enquanto a irracionalidade e a indelicadeza causam desconforto em todas as fases da vida.

Lélio: — Concordo com você, Catão. Mas, talvez possam argumentar que é devido aos seus grandes recursos, riqueza e posição elevada que o faz considerar a velhice tolerável, enquanto tal boa sorte é reservada apenas para poucos.

CÍCERO

Catão: — Há alguma verdade nisso, Lélio, mas não em tudo. Por exemplo, conta-se sobre a resposta de Temístocles[13] em uma discussão com um certo serifiano[14], o qual afirmava que este devia sua posição extraordinária à reputação de seu país, não à sua própria. "Fosse eu serifiano, nem por isso seria famoso, da mesma maneira que você não seria caso fosse ateniense". Algo semelhante pode ser dito sobre a velhice. Pois mesmo um filósofo não encontraria facilidade em suportá-la na pobreza extrema, enquanto um tolo a consideraria um fardo mesmo sendo um milionário. Podem ter certeza, meus caros Cipião e Lélio, de que as melhores armas contra a velhice são a cultura e a prática ativa de nossas virtudes. Pois se tais forem semeadas durante todas as fases da vida — caso vivamos bem e bastante — a colheita produzida será maravilhosa; não apenas porque não nos abandonará até nossos últimos dias — o que já é extremamente importante — como também a consciência de uma vida bem vivida e a lembrança de tantos atos virtuosos são demasiadamente agradáveis.

---

13 Temístocles, filho de Néocles, foi um político e general ateniense. Liderou o Partido Democrático Ateniense. (N. do T.)
14 Seferiano: habitante da ilha grega de Serifos. (N. do T.)

IV

Vejam o exemplo de Quinto Fábio Máximo[15], o homem que recuperou Tarento. Quando eu era jovem e ele já idoso, estava apegado a ele como se fosse meu contemporâneo. A solene dignidade daquele grande homem vinha acompanhada de condutas corteses, e a idade avançada não havia alterado seu caráter. É verdade que ele ainda não era considerado velho quando comecei a admirá-lo, mas já havia vivido bastante pois seu primeiro mandato como cônsul ocorreu no ano seguinte ao meu nascimento. Quando jovem, acompanhei-o como soldado em seu quarto consulado, participando da expedição contra Cápua e, cinco anos depois, contra Tarento. Quatro anos mais tarde, fui eleito questor[16], servindo durante o consulado de Tuditano e Cetego, enquanto ele, já bastante idoso, promovia a aprovação da lei Cincia, que visava proibir presentes e gratificações aos advogados. Apesar de sua idade, ele ainda conduzia guerras com energia jovial, mas com persistência soube, gradativamente, cansar o ímpeto confiante de Aníbal[17]. Nosso amigo Ênio o expressa de forma magnífica:

Para nós, derrotados pelas tempestades do destino, um homem de grande sabedoria soube restaurar nosso governo. Em vez de se deixar levar por rumores, priorizou a salvação,

---

15 Quinto Fábio Máximo (275-203 a.C.) foi cinco vezes cônsul. (N. do T.)
16 Antigo magistrado romano, que tinha a seu cargo as finanças. (N. do T.)
17 Aníbal Barca foi um general e estadista cartaginês, tido como um dos maiores estrategistas militares da Antiguidade. (N. do R.)

pelo bem de seu país. E para sempre em destaque, a glória de seu nome brilhará na eternidade.

Uma vez mais, quanta cautela, e que profunda habilidade ele demonstrou na tomada de Tarento! Foi com meus próprios ouvidos que ouvi sua famosa resposta a Salinator, que se refugiou na cidadela depois de perder a cidade: "Foi graças a mim, Quinto Fábio, que você reconquistou Tarento." "Exatamente", ele respondeu com uma risada, "pois se você não a tivesse perdido, eu nunca a teria recuperado." Ele se destacou não apenas na guerra, mas também na vida civil. Durante seu segundo consulado, apesar da apatia de seu colega, ele resistiu o quanto pôde à proposta do tribuno C. Flaminio de dividir o território dos picênios e gauleses em lotes gratuitos, desafiando uma resolução do Senado.

Além disso, mesmo sendo um áugure[18], ele se atreveu a afirmar qualquer coisa feita no interesse do Estado estava sendo feita sob os melhores auspícios, e qualquer legislação proposta contra esse interesse era algo contra tais auspícios.

Eu já conhecia muito das admiráveis qualidades desse grande homem, mas nada me impressionou mais do que a maneira como suportou a morte de seu filho — um homem de caráter brilhante e que havia sido cônsul. Seu discurso fúnebre de homenagem é amplamente conhecido e, ao lê-lo, há algum filósofo de quem não pensemos com desdém? Ele não era apenas grande aos olhos de seus concidadãos

---

18 Sacerdote da Roma Antiga que pressagiava o futuro por meio do canto ou voo dos animais. (N. do R.)

durante o dia, mas também no particular e em casa. Que riqueza de conversas! Que máximas profundas! Que amplo conhecimento da história antiga! Que precisão em relação à ciência do augúrio! Além disso, para um romano, ele tinha um grande conhecimento nas letras. Possuía uma memória excepcional para a história militar de todos os cantos, seja das guerras romanas ou estrangeiras. Na época, eu absorvia seus dizeres com um entusiasmo apaixonado, como se já pressentisse, o que acabou se confirmando, que quando ele partisse, não haveria ninguém para me ensinar mais nada.

V

Qual é, então, o propósito de explorar tanto a vida de Máximo? É porque agora você percebe que uma velhice como a dele não pode ser considerada infeliz conscientemente. No entanto, é verdade que nem todos podem ser como Cipião ou Máximo, com invasões de cidades, batalhas por terra e mar, guerras que eles próprios comandaram e triunfos para recordar. Além disso, existe uma vida tranquila, pura e cultivada que leva a uma velhice serena e amável, como foi dito sobre Platão, que morreu aos oitenta e um anos enquanto estava trabalhando em sua escrivaninha; ou como Isócrates, que afirmou ter escrito o livro *O Panatenaico* aos noventa e quatro anos e viveu por mais cinco depois disso; enquanto seu mestre, Górgias de Leontini, viveu até os cento e sete anos, nunca relaxando em sua diligência nem abandonando o trabalho. Quando alguém lhe perguntou por que ele concordou em viver por tanto tempo, respondeu: "Não é culpa minha encontrar-me com a velhice." Essa foi uma resposta nobre e digna de um estudioso. Pois os tolos atribuem suas próprias fraquezas e falhas à velhice, ao contrário do exemplo de Ênio que mencionei anteriormente.

Como um corcel corajoso que muitas vezes vitorioso foi na arena de Olímpia,
Agora pelo peso dos anos oprimido,
Esquece a corrida e descansa.

PARA SABER ENVELHECER

Ele compara sua própria velhice à de um cavalo de corrida valente e bem-sucedido. E, de fato, você deve se lembrar bem dele. Pois os dois cônsules Tito Flaminino e Mânio Acílio foram eleitos no décimo nono ano após sua morte. Sua morte ocorreu no consulado de Cepião e de Filipo, o último sendo cônsul pela segunda vez. Nesse ano, eu, com sessenta e seis anos de idade, defendi com voz forte e pulmões saudáveis, a lei Vocônia[19], enquanto ele, com setenta anos, suportava dois fardos considerados os mais pesados de todos — a pobreza e a velhice — de maneira amorosa.

Na verdade, quando penso nisso, encontro quatro motivos pelas quais a velhice pode ser considerada infeliz: primeiro, porque nos afasta de empregos ativos; segundo, porque enfraquece o corpo; terceiro, porque nos priva de quase todos os prazeres físicos; quarto, porque é o próximo passo em direção à morte. Vamos examinar separadamente a força e a justiça de cada uma dessas razões.

---

19 A lei Vocônia limita o direito de sucessão das mulheres. (N. do T.)

VI

A velhice nos retira dos empregos ativos. Mas de quais empregos você está se referindo? Quer dizer os que exigem juventude e força física? Não existem ocupações próprias para os idosos, conduzidas pela mente, mesmo quando os corpos estão fracos? Então, Quinto Máximo não fez nada? De braços cruzados também ficou Lúcio Paulo, o Macedônio, nosso próprio pai, Cipião , e o sogro do excelente homem que foi meu filho? E os outros idosos, como Fabrício, Cúrio ou Coruncânio, quando colocavam sua sabedoria e autoridade a serviço do Estado, não estavam fazendo nada?

Até o idoso Ápio Cláudio[20] tinha a desvantagem adicional de ser cego. No entanto, foi ele quem, quando o Senado estava inclinado a fazer um tratado de paz com Pirro, não hesitou em expressar sua opinião, conforme imortalizado nos versos de Ênio:

Para onde desviaram as almas tão firmes de outrora?

O sentido tornou-se disparatado? Os pés não aguentam mais ficar em pé?

E assim por diante, em um tom apaixonado e fervoroso. Você conhece o poema de Ênio. Também é possível ler o genuíno discurso de Ápio Cláudio. Ele o entregou dezessete anos após seu segundo consulado, com um intervalo de dez anos entre os dois, e tendo sido censor[21] antes do último. Isso

---

20   Ápio Cláudio Cego (c. 340 a.C. - 273 a.C.), foi eleito cônsul por duas vezes, em 307 e 296 a.C. (N. do T.)

21   Agentes do governo romano que tinham como função o censo da população e também a fiscalização da conduta do povo. (N. do R.)

mostra que durante a guerra com Pirro ele já era um homem muito velho. No entanto, essa é a história que nos foi transmitida.

Portanto, os argumentos daqueles que dizem que a velhice não tem lugar nos assuntos públicos não têm fundamento. São como pessoas afirmando que o timoneiro não faz nada ao conduzir um navio, porque enquanto alguns membros da tripulação estão subindo nos mastros, outros correndo de um lado para o outro nas passarelas e outros ainda bombeando a água do porão, ele permanece quieto na popa, segurando o leme. Ele pode não fazer o que os jovens fazem, mas está desempenhando uma função crucial. Os grandes assuntos da vida não são realizados pela força física, atividade ou agilidade do corpo, mas sim pela deliberação, caráter e expressão de opinião. E nesses aspectos, a velhice, além de não ser privada, geralmente os possui em maior grau.

Pode parecer que estou ocioso agora, pois como soldado nas fileiras, como tribuno militar, como legado e como cônsul, estive envolvido em várias guerras. No entanto, estou constantemente ordenando ao Senado o que deve ser feito e como agir. Cartago há muito nutre intenções malignas, e é por isso que proclamo guerra contra esta cidade no momento oportuno. Não deixarei de temer Cartago até ouvir que foi arrasada. Rezo aos deuses imortais para que reservem a glória de completar essa tarefa para você, Cipião; para que você possa continuar o trabalho iniciado por seu avô, que já está morto há mais de trinta e dois anos. Embora a memória daquele grande homem permanecerá fresca por muito tempo. Ele morreu um ano antes da minha censura e nove anos depois do meu consulado, sendo nomeado cônsul pela segunda vez durante também o meu consulado. Se tivesse vivido até os cem anos, se arrependeria de ter chegado à velhice? Certamente não estaria marchando rapidamente, atacando inimigos, atirando lanças à distância ou lutando de perto com espadas. Ele estaria apenas oferecendo conselhos, usando sua razão e eloquência no Senado. E se essas qualidades não fossem encontradas nos idosos, nossos ancestrais nunca teriam chamado o supremo conselho do governo de "Senado". Na verdade, em Esparta, aqueles que ocupam as mais altas magistraturas são chamados de "anciãos". Além disso, se você parar para ler ou ouvir a história de outros países, verá que os Estados mais poderosos foram colocados em perigo por jovens, e restaurados e sustentados por idosos. A questão toda é mostrada no poema *O Jogo* de Cneu Névio:

> *Vejamos! Quem arruinou seu país com tamanha avidez*
> *que o trouxe ao seu destino com tanta rapidez?*
> A resposta é longa, mas o ponto principal segue:
> *Os novos oradores que então surgiram!*
> *E tudo aquilo que pensavam que sabiam!*

Sem dúvida, a imprudência é própria da juventude, e a prudência da velhice.

VII

Mas dizem que a memória diminui. Sem dúvida é verdade, a menos que seja exercitada ou que exista uma condição de nascença impedindo que se desenvolva. Temístocles sabia de cor os nomes de todos os seus concidadãos. Você acha que, em sua velhice, ele costumava se dirigir a Aristides como Lisímaco? Pessoalmente, conheço não apenas a geração atual, mas também seus pais e avós. Também não tenho medo de perder a memória ao ler lápides, como a superstição comum sugere. Pelo contrário, ao lê-las, refresco minha memória daqueles que já partiram. Na verdade, nunca ouvi falar de um velho que tenha se esquecido de onde escondeu seu dinheiro. Eles se lembram de tudo que lhes interessa: quando devem responder a uma fiança, compromissos de negócios, quem lhes deve dinheiro e a quem eles devem. E os advogados, pontífices, áugures, e filósofos quando envelhecem? Quantas coisas eles se lembram! Os idosos mantêm sua capacidade mental bastante intacta, desde que mantenham suas mentes ativas e plenamente engajadas. E isso não se aplica apenas a homens de alta posição e com grandes cargos; é igualmente válido para a vida privada e atividades pacíficas. Sófocles compôs tragédias até uma idade avançada. Acreditando que estava negligenciando o cuidado de sua propriedade devido à devoção que demonstrava por sua arte, seus filhos o levaram ao tribunal a fim de obter uma decisão judicial que o privasse da administração de seus bens, alegando um intelecto fraco — assim como em nossa lei, costuma-se privar um pai de família da administração de seus bens caso os esteja desperdiçando. Depois de ler a obra Édipo em Colono e perguntar se acreditavam que tal poderia ter sido escrita por um homem de intelecto fraco, foi absolvido pelo júri. A velhice, então, obrigou tal homem a se calar em sua arte singular? Ou o mesmo aconteceu com Homero, Hesíodo, Simônides, ou Isócrates e Górgias, mencionados anteriormente? E quanto aos fundadores de escolas de filosofia, como Pitágoras, Demócrito, Platão, Xenócrates, ou mais tarde Zenão e Cleantes? Ou Diógenes, o estoico, que você também viu em Roma? Não foi o caso de todos estes que a busca ativa pelo estudo apenas terminou com a vida em si?

Mas, deixando de lado os estudos sublimes, posso citar alguns camponeses romanos do distrito de Sabina, vizinhos e amigos meus, sem os quais as importantes tarefas agrícolas raramente seriam cumpridas — seja semear, colher ou armazenar colheitas. E mesmo em outras tarefas, isso é menos surpreendente, pois ninguém é tão velho a ponto de pensar que não pode viver mais um ano. E mesmo assim, dedicam seu trabalho ao que sabem que não os afetará de forma alguma:

"Ele planta árvores que crescerão para outros", como diz Cecílio Estácio em Os Sinefebos.

Nem mesmo um fazendeiro, por mais velho que seja, hesitaria em responder a qualquer um que lhe perguntasse para quem estava plantando:

"Para os deuses imortais que querem que eu, tendo recebido esses bens de meus ancestrais, também os transmita para a próxima geração."

VIII

Esta última observação cai ainda melhor do que a seguinte:

Se a idade não trouxesse nada pior do que isso,
Ela seria o suficiente para estragar nossa felicidade,
Pois aquele que espera por muitos anos,
Vê muito para evitar e muito para chorar.

Sim, e talvez muito do que também lhe dê prazer. Além do que, quanto aos motivos para chorar, também os encontra frequentemente na juventude.

Mas Cecílio está completamente enganado quando nos diz:

Nenhuma miséria maior pode ser contada,
Nenhuma maior que isto: tenha certeza, os jovens não gostam dos velhos.

O deleite neles está mais próximo do alvo do que a aversão. Assim como os idosos, quando sábios, desfrutam da companhia de jovens de boa posição, e a velhice é menos triste para aqueles que são admirados e amados pela juventude, da mesma forma os jovens encontram prazer nas máximas dos antigos, que os atraem em busca pela excelência. No que me diz respeito, tenho a sensação de ser tão agradável para você quanto você é para mim. Mas isso é suficiente para mostrar como, longe de ser apática e lenta, a velhice é uma época ocupada, em que sempre fazemos ou tentamos algo novo, é claro, dentro daquilo que se apreciava na parte anterior da vida. Na verdade, alguns até aumentam seu estoque de conhecimento. Vemos, por exemplo, Sólon[22] se gabando em seus poemas sobre estar envelhecendo "aprendendo algo novo diariamente." Ou até eu mesmo, já que apenas depois de velho me tornei íntimo da literatura grega, a qual na verdade absorvi com avidez - em meu desejo de saciar, como se tal fosse, uma sede interminável — e tornando-me familiarizado com os mesmos fatos que agora veem sendo usados como precedentes. Quando soube o que Sócrates havia feito com a lira, eu também gostaria de tê-lo feito, pois os antigos costumavam aprender a tocar esse instrumento. De qualquer forma, dediquei muito tempo à literatura.

---

22 Sólon (640-558 a.C.) foi um legislador e poeta ateniense. Ele é considerado o pai da democracia ateniense devido às suas reformas que foram respeitadas e até mesmo continuadas pelo tirano Pisístrato. (N. do T.)

IX

A ausência da força física é o segundo inconveniente atribuído à velhice. Devo admitir que não sinto essa falta, nem mesmo quando adolescente lamentava não possuir a força de um touro ou de um elefante. Devemos utilizar o que temos e, qualquer que seja a tarefa em que estamos envolvidos, devemos realizá-la com todas as nossas forças. O que poderia ser mais vulnerável do que a exclamação de Mílon de Crotona[23]? Quando ele, em sua velhice, assistia enquanto atletas treinavam no ginásio, olhando para seus próprios braços e exclamando com lágrimas nos olhos: "Ah, vejamos! Estes agora estão mais para mortos do que para vivos." Pouco mais vivos que você, seu bufão! Pois você nunca foi famoso por sua verdadeira essência, mas sim por seu peitoral e bíceps. Sexto Élio nunca expressou suas ideias sobre tal comentário, nem Tibério Coruncânio[24] muitos anos antes dele, ou mesmo Público Crasso mais recentemente. Todos eram advogados que praticavam ativamente, e seu conhecimento profissional foi mantido até o último suspiro. É possível que um orador perca vigor com a velhice, pois sua arte não se baseia apenas na intelectualidade, mas também nos pulmões e na força física. Embora, em geral, aquele toque musical na voz até ganhe brilho de certa maneira à medida em que envelhecemos— e certamente ainda não perdi essa qualidade, como você pode ver pelos meus anos. No entanto, o estilo

---

23 Mílon foi um célebre atleta grego que se destacou na luta. (N. do T.)
24 Sexto Élio e Tibério Coruncânio eram Cônsules da República Romana. (N. do T.)

de fala adequado a um idoso é calmo e desprovido de muita emoção, e muitas vezes é fato que a expressão tranquila e controlada de um orador idoso garante uma audiência atenta. Se você não garantir isso sozinho, ainda poderá instruir um Cipião e um Lélio. Pois o que pode ser mais encantador do que a velhice rodeada pelo entusiasmo da juventude? Não devemos conceder à velhice nem mesmo a capacidade de ensinar os jovens, orientá-los e equipá-los para todos os deveres da vida? E qual tarefa poderia ser mais nobre? Pessoalmente, costumava achar glorioso ver Público Cipião e Cneu[25], juntamente com seus dois avós, Lúcio Emílio e Cipião, o Africano, rodeados pela companhia de jovens nobres. Também não devemos pensar que um professor das artes não se sente feliz, mesmo que suas forças físicas tenham diminuído e enfraquecido. Na verdade, essa diminuição das é mais frequentemente causada pelos vícios da juventude do que pela velhice; pois uma juventude dissoluta e intemperante entrega o corpo à velhice em um estado debilitado. Xenofonte, o velho Ciro, por exemplo, em seu discurso proferido no leito de morte, assegurou que não se sentia, depois de envelhecido, mais fraco que em sua juventude.

Lembro-me de quando eu era criança, e Lúcio Metelo ocupou o cargo de grande pontífice por vinte e dois anos, após ter sido nomeado para o cargo quatro anos depois de seu segundo consulado. Até suas últimas horas de vida, ele desfrutava de uma excelente força física, mantendo-se jovem. Não vou falar sobre mim mesmo, embora seja comum para um homem idoso e aceitável na minha idade. Você não

---

25 Cônsules da República Romana. (N. do T.)

observa que, em Homero, Nestor não cessa em exibir seus méritos? Afinal, ele estava vivendo na terceira geração, e não tinha motivo para temer parecer orgulhoso ou tagarela ao falar a verdade sobre si mesmo. Como o diz Homero:

"De seus lábios fluía um discurso mais doce que o mel."

Para esse doce dom não era necessária força física. No entanto, o famoso líder dos gregos, em nenhum momento, desejou ter dez homens como Ajax[26], mas sim como Nestor[27]. Se ele pudesse tê-los, não tinha dúvidas de que Troia seria conquistada em breve.

---

26 Personagem da mitologia grega que participou da Guerra de Troia, descrito por Homero em *A Ilíada* como um herói valente, comparável a Aquiles. (N. do R.)
27 Outro personagem da mitologia grega que participou da Guerra de Troia, porém já com uma idade avançada, e era descrito como um homem de coragem e sabedoria. (N. do R.)

X

Mas voltando ao meu caso: tenho oitenta e quatro anos. Gostaria de poder me gabar como Ciro, mas, no fim das contas, posso dizer o seguinte: não sou tão vigoroso como quando era um soldado novato na guerra Púnica, ou como questor na mesma guerra, ou ainda como cônsul na Espanha, e quatro anos depois, quando, como militar tribuno, participei da batalha em Termópilas sob o cônsul Mânio Acílio Glabrião. No entanto, como você pode observar, a velhice não destruiu completamente meus músculos, e não me deixou totalmente debilitado. Ainda tenho vigor para o Senado, para a tribuna, para meus amigos, para meus clientes e para meus convidados estrangeiros. Nunca cedi àquele antigo e elogiado provérbio:

Velho quando jovem, é velho por muito tempo.

Quanto a mim, prefiro ser velho por menos tempo do que sê-lo prematuramente. Por essa razão, jamais recusei uma conversa a ninguém. Mas pode-se dizer que comparado a vocês, sou menos forte. Nem você tem a força do centurião T. Pôncio: ele é o homem mais célebre por conta disso? A chave está em administrar adequadamente nossa força e esforçar-se de acordo com nossas capacidades. Alguém assim certamente não se arrependerá muito de perder sua força. No estádio de Olímpia, dizem que Milo entrou carregando um boi vivo em seus ombros. Qual dos dois você preferiria ter — uma força física como essa ou uma força intelectual como a de Pitágoras? Em suma, devemos aproveitar essa

PARA SABER ENVELHECER

bênção quando a possuímos e não a desejar novamente quando se for — a menos que acreditemos que os jovens devem desejar a infância de volta e que os um pouco mais velhos devam desejar a juventude! O curso da vida é fixo e a natureza nos permite vivê-lo de uma única maneira e apenas uma vez. Para cada fase de nossa vida, há algo apropriado; assim, a fraqueza das crianças, o vigor da juventude, a sobriedade da maturidade e a sabedoria da velhice — cada um tem uma vantagem natural a qual deve ser apreciada em seu tempo adequado.

Você deve estar ciente, Cipião, do que o amigo estrangeiro de seu avô, Masinissa[28], faz até hoje, mesmo aos noventa anos. Ele nunca monta a cavalo quando inicia uma viagem a pé; e quando está montado, nunca desce do animal. Nem mesmo a chuva ou o frio o fazem cobrir a cabeça. Seu corpo está livre de doenças e, por isso, ele ainda cumpre todas as suas obrigações e funções como um rei. O exercício ativo e a temperança, portanto, podem preservar parte de nossa força anterior mesmo na velhice.

---

28 Masinissa (240-149 a.C.), rei dos númidas orientais durante a segunda guerra Púnica. (N. do T.)

XI

A velhice traz a falta de força corporal, mas também não exige que os idosos a tenham. De acordo com a lei e os costumes da minha época, os homens mais velhos estão isentos dos deveres que exigem força física. Portanto, não apenas não somos forçados a fazer o que somos incapazes; também não somos obrigados a fazer o nosso máximo. No entanto, pode-se argumentar que muitos idosos são tão fracos a ponto de não conseguirem cumprir nenhum dever na vida. Essa fraqueza não é exclusiva da velhice; é uma fraqueza compartilhada com problemas de saúde. Olhem para o filho de Cipião, o Africano, a quem ele adotou! Ele tinha uma saúde tão fraca, ou melhor, nenhuma saúde! Se não fosse assim, teríamos tido outra grande figura na arena política; ele teria acrescentado ao seu espírito grandioso uma ampla erudição. Não é de surpreender que os idosos eventualmente fiquem fracos, quando até mesmo os jovens não conseguem escapar disso.

Meus queridos Lélio e Cipião, devemos enfrentar a velhice e compensar suas desvantagens com esforço. Devemos encará-la como enfrentamos uma doença. Devemos cuidar da nossa saúde, fazer exercícios moderados, comer e beber o suficiente para fortalecer, mas não sobrecarregar, nossas forças. Não é apenas o corpo que deve ser cuidado, mas também o intelecto e a alma. Eles são como lamparinas: se não os alimentarmos com óleo, então se apagarão com a velhice. Enquanto o corpo tende a ficar mais pesado com o exercício, o intelecto se torna mais ágil quando exercitado. Quando

PARA SABER ENVELHECER

Cecílio diz: "Velhos caducos do palco cômico" são os crédulos, os esquecidos e os negligentes. Essas são falhas que não estão ligadas à velhice em si, mas a uma velhice preguiçosa, sem espírito e sonolenta. Os jovens são mais frequentemente libertinos e dissolutos do que os velhos; no entanto, assim como nem todos os jovens são assim, apenas os maus entre eles, da mesma forma a loucura senil - geralmente chamada de imbecilidade - se aplica aos velhos de caráter duvidoso, não a todos.

Ápio, quando ficou velho e cego, tinha a responsabilidade de cuidar de quatro filhos em plena juventude, cinco filhas, uma grande casa e extensa clientela. Ele mantinha sua mente aguçada da mesma forma com que se tensiona a corda de um arco e não se entregava à velhice de forma passiva. Não apenas preservava seu prestígio, mas também exercia autoridade sobre sua família. Seus escravos o temiam, seus filhos o respeitavam e todos o queriam bem. Em sua casa, a tradição e a autoridade paterna eram mantidas como norma.

O fato é que a velhice é respeitável desde que se afirme, mantenha seus direitos e não seja escravizada por ninguém. Assim como admiro um jovem que tem algo de velho, também admiro um velho que tem algo de jovem. Aquele que busca isso pode envelhecer no corpo, mas nunca no espírito.

Atualmente, estou trabalhando na composição do meu sétimo livro *Da República*. Reúno todos os conhecimentos sobre a Antiguidade. No momento, estou organizando todos os discursos que fiz em defesa de causas famosas. Estou envolvido com o direito augural, pontifício e civil. Estudo diligentemente a literatura grega e, para exercitar minha memória, aplico o método dos pitagóricos: todas as noites, tento lembrar de tudo o que fiz, disse e ouvi durante o dia. É assim que mantenho minha mente afiada, como uma ginástica à qual submeto minha inteligência. Suando e me esforçando dessa maneira, nunca passa pela minha cabeça lamentar o declínio das minhas forças físicas. Meus amigos sempre podem contar comigo.

Vou ao Senado regularmente e por vontade própria. Faço propostas maduras e as defendo com todas as minhas forças intelectuais — não físicas. E se não fosse mais capaz de fazê-lo, teria o lazer de me distrair em meu divã, pensando em tudo o que agora me é proibido. Graças à minha vida, não cheguei a esse ponto. Permaneço ativo. Ao dedicar nossa vida ao estudo e nos empenharmos em trabalhar incansavelmente, não sentimos a aproximação sorrateira da velhice. Envelhecemos sem perceber, gradualmente, e em vez de sermos brutalmente atacados pela idade, nos extinguimos aos poucos.

XII

A terceira crítica à velhice é a falta de prazeres físicos. Que benefício nos traz ao nos privar dos maiores deleites da juventude! Permitam-me compartilhar um discurso de Arquitas de Tarento, um dos homens mais ilustres de sua época, que me foi entregue quando eu era jovem e estava em Tarento com Quinto Máximo: "Nada é mais prejudicial para a humanidade do que o prazer carnal, uma maldição infligida pela natureza para satisfazer nossos apetites desenfreados, que são despertados além de qualquer prudência ou controle. É uma fonte fértil de traição, revolução e comunicações secretas com o inimigo. De fato, não há crime ou ação repugnante que não seja impulsionada pelas tentações do prazer sensual. O adultério e toda forma de abominações são provocados apenas por essas tentações. A inteligência é o maior presente da natureza ou de Deus, e não há nada mais adverso a esse presente divino do que o prazer. Quando o apetite se torna nosso mestre, não há espaço para autocontrole, e onde o prazer reina supremo, a virtude não pode se sustentar."

Para facilitar a compreensão, Arquitas propôs imaginar um homem em um estado de excitação voluptuosa. Nesse estado de intenso prazer, como poderia esse homem formular o menor pensamento, refletir ou meditar de forma legítima? Portanto, nada é mais detestável do que o prazer. Quando ele é intenso e persistente, é capaz de obscurecer completamente o espírito. Essas foram as palavras pronunciadas por Arquitas durante uma conversa com o samnita

CÍCERO

Caio Pôncio, cujo filho triunfou sobre os cônsules Espúrio Póstumo e Tito Vetúrio em Cáudio. Meu anfitrião, Nearco de Tarento, sempre leal a Roma, me disse ouvir essas palavras de seus pais e avós. Descobri que o próprio Platão de Atenas teria testemunhado tal conversa, pois encontrei registros de sua presença em Tarento durante o consulado de Lúcio Camilo e Ápio Cláudio.

Qual é o propósito de tudo isso? É mostrar que, se não fôssemos capazes de rejeitar o prazer com a ajuda da razão e da filosofia, deveríamos ser muito gratos à velhice por nos privar de qualquer inclinação para fazer o que é errado. O prazer atrapalha o pensamento, é inimigo da razão e, por assim dizer, cega a mente. Além disso, é totalmente contrário à virtude. Lamentei ter que expulsar Lúcio, irmão do galante Tito Flaminino, do Senado sete anos depois de seu consulado, mas achei necessário colocar uma marca em seu ato de perversão grotesca. Durante seu consulado na Gália, ele atendeu aos pedidos de sua amante em um jantar e ordenou a decapitação de um homem que estava na prisão aguardando a pena de morte. Quando seu irmão Tito era Censor, que me antecedeu, ele escapou das consequências, mas eu e Flaco[29] não poderíamos tolerar um ato de tal luxúria criminosa e desprezível, especialmente porque, além da desonra pessoal, trouxe desgraça ao governo.

---

29 Flaco era censor ao mesmo tempo que Catão. (N. do T.)

XIII

Já ouvi muitas vezes homens mais velhos que eu relatando algo que escutaram quando eram crianças; algo que lhes foi dito por anciãos. Contaram-me que Caio Fabrício costumava expressar surpresa ao ouvir, quando enviado ao quartel-general do rei Pirro, sobre um homem de Atenas que se autodenominava "filósofo" e afirmava que tudo o que fazíamos era buscar o prazer. Ao compartilhá-lo com Mário Cúrio e Tibério Coruncânio, eles costumavam comentar seu desejo de que os samnitas e o próprio Pirro tivessem a mesma opinião. Seria muito mais fácil conquistá-los se eles se entregassem aos prazeres sensoriais. Mário Cúrio era próximo de Públio Décio, que havia se sacrificado pela República até a morte quatro anos antes de seu primeiro consulado. Tanto Fabrício quanto Coruncânio o conheciam e, com base em suas próprias experiências de vida e na ação de Décio, acreditavam que havia algo intrinsecamente nobre e grandioso, o qual era buscado sem obrigação, e pelo qual todos os homens virtuosos aspiravam, desprezando e negligenciando o prazer. Então, por que gasto tantas palavras discutindo o assunto do prazer? Porque, ao contrário de ser uma acusação contra a velhice, que não sente falta dos prazeres, é o seu maior elogio.

No entanto, você pode argumentar que a velhice é privada dos prazeres da mesa, da fartura dos banquetes e do fluir rápido do vinho. Bem, nesse caso, ela também está livre de dores de cabeça, indigestão e noites mal dormidas. Mas, se devemos conceder algo ao prazer, já que não é fácil resistir aos seus encantos — como Platão sabiamente o chama de "isca do vício", porque os homens são facilmente capturados por ele como peixes no anzol — mesmo assim, embora a velhice deva abster-se de banquetes extravagantes, ainda pode desfrutar de celebrações mais modestas. Quando eu era criança, costumava ver Caio Duílio, primeiro vencedor dos cartagineses no mar, retornando de um jantar. Ele apreciava se fazer escoltado por tochas e músicos de flauta, distinções que ele assumiu, embora fossem sem precedentes para uma pessoa comum. Era um privilégio de sua glória. Mas por que mencionar outros exemplos? Voltando ao meu próprio caso, durante minha questura, quando o culto de Cibele, a "Grande Mãe" da Frígia, foi adotado, foram estabelecidas fraternidades. Portanto, era com meus companheiros de fraternidade que eu celebrava, de forma simples, apesar da vivacidade da juventude. À medida que envelhecíamos, nos tornávamos mais moderados. Nessas reuniões, eu apreciava menos o prazer dos sentidos do que a companhia dos meus amigos e suas conversas. Nossos antepassados tinham razão ao chamar de "convívio" o ato de se reunir ao redor de uma mesa, pois acreditavam que isso implicava uma certa comunhão da vida. Os gregos são menos inspirados nesse aspecto: eles falam de "bebidas em comum" ou "comidas em comum", dando a impressão de que dão prioridade ao menos importante.

XIV

No que me diz respeito, devido ao prazer que tenho em conversar, aprecio até mesmo banquetes que começam à tarde, não apenas na companhia dos meus contemporâneos — dos quais poucos restaram — mas também com homens da mesma idade que vocês. Sou grato à velhice, que aumentou meu desejo por conversas, ao mesmo tempo em que diminuiu minha vontade de comer e beber. No entanto, se alguém aprecia tais prazeres — para não parecer que estou declarando guerra contra todo prazer sem exceção, o que talvez seja um sentimento inspirado pela natureza — não vejo, nem mesmo nesses mesmos prazeres, que a velhice seja completamente desprovida da capacidade de apreciação. Eu, pessoalmente, me deleito até mesmo com as costumeiras nomeações de mestre de cerimônia, bem como com a organização da conversa, que tradicionalmente começa no último lugar do sofá, à esquerda quando o vinho é servido, e também com as taças que, como no *Banquete* de Xenofonte, "se cobrem de gotas de orvalho". Aprecio o frescor das salas onde comemos no verão e o aquecimento proporcionado pelo sol de inverno ou pelo fogo. Essas coisas eu mantenho até mesmo entre meus compatriotas sabinos, e todos os dias temos um jantar com a presença de vizinhos, prolongando-o até tarde da noite com conversas diversas.

Mas você pode insistir — não há a mesma sensação de formigamento de prazer em homens velhos. Sem dúvida, mas também não sentem tanta falta. Não se sofre por ser privado daquilo de que não se tem saudades. Essa foi uma bela resposta de Sófocles a um homem que lhe perguntou, quando em extrema velhice, se ele ainda era um amante. Ele respondeu: "Deus me livre! Fiquei muito feliz em escapar disso, como quem se livra de um mestre grosseiro e insano." Para os homens que realmente gostam de tais coisas, pode parecer desagradável e desconfortável ficar sem elas, mas para apetites cansados é mais agradável faltar do que desfrutar.

Embora seja verdade que os jovens desfrutem desses prazeres com mais entusiasmo, devemos considerar que, em primeiro lugar, são coisas insignificantes, como mencionei anteriormente, e em segundo lugar, a idade não é totalmente privada deles, mesmo que não os tenha em abundância. Assim como um homem obtém maior prazer ao assistir a uma peça teatral se estiver na primeira fila em comparação com estar na última, no final das contas, o homem na última fila ainda sente prazer. Da mesma forma, a juventude, por estar mais próxima dos prazeres, talvez se divirta mais, porém até a velhice, ao observá-los de longe, também se diverte bastante.

Agora, que bênçãos são essas — que a alma, tendo cumprido seu tempo, por assim dizer, nas campanhas do desejo, ambição, rivalidade, ódio e todas as paixões, deve viver em seus próprios pensamentos e, como dizem, ir cada um para um lado! Na verdade, se alguém preserva algo do qual posso chamar de "alimento do estudo e da filosofia", nada pode ser mais agradável do que uma velhice de lazer. Testemunhamos Caio Galo, um amigo de seu pai, Cipião, dedicado, até o dia de sua morte, mapeando o céu e a terra. Quantas vezes a luz o surpreendeu enquanto ele ainda resolvia um problema iniciado durante a noite! Quantas vezes a noite o encontrou ocupado com o que havia começado ao amanhecer! Como ele se deleitava em nos prever eclipses solares e lunares muito antes de sua ocorrência! Ou, ainda, em estudos de natureza mais leve, mas que exigiam agudeza intelectual; que prazer Névio teve ao trabalhar em sua *Guerra Púnica*? Ou nas peças de Plauto, como *O Truculento* ou *Pseudolus*? Eu mesmo tive o prazer de conhecer Lívio Andrônico, quando ele já era idoso. Ele havia produzido uma peça teatral seis anos antes do meu nascimento, durante o consulado de Centão e Tuditano, e sua vida se estendeu até a minha adolescência. E por que não mencionar as pesquisas de Públio Licínio Crasso sobre o direito pontifical e civil, ou as de nosso recente nomeado grande Pontífice, Públio Cipião?

Todos esses velhos que mencionei estão profundamente comprometidos com seus estudos. E Marco Cetego! Ênio o chama de "a medula da persuasão", e a descrição lhe cai perfeitamente. Mesmo na velhice, ele se dedicava com afinco à eloquência! Seriam os prazeres da mesa, dos jogos ou das cortesãs capazes de rivalizar com essas fontes de felicidade? O conhecimento se beneficia das habilidades adquiridas e se enriquece à medida que envelhecemos. Assim, é digno de seu autor aquele verso de Sólon, em que ele afirma aproveitar cada dia de sua velhice para adquirir novos conhecimentos. Sim, nenhum prazer é superior ao prazer do espírito.

XV

Chego agora aos prazeres da agricultura, dos quais desfruto surpreendentemente. Estes não são limitados pela idade avançada e parecem se aproximar mais da vida do sábio ideal. Pois o agricultor lida com a terra, que nunca se recusa a obedecer, nem retorna o que recebeu sem generosidade; às vezes, com juros menores, mas geralmente com juros maiores. No entanto, não é apenas o produto em si que me encanta, mas também a própria vitalidade da terra e sua produtividade natural. Quando a semente é lançada em seu seio, amolecida e quebrada, ela a mantém oculta ali (daí o nome angustiante que lhe é dado, derivado da palavra que significa "esconder"). Em seguida, quando aquecida pelo seu calor e pela pressão acerca de si, a terra a abre e extrai dela a lâmina verde. Essa lâmina, sustentada pelas fibras da raiz, cresce gradualmente e, mantida ereta pelo seu caule flexível, é envolvida em bainhas, como se ainda estivesse imatura. Quando emerge dessas bainhas, produz uma espiga de milho com grãos dispostos em ordem e é protegida contra o bicar das aves menores por uma cerca regular de espinhos.

É necessário mencionar o início, o plantio e o crescimento das vinhas? Este prazer nunca é demais para mim — permitir que você conheça o segredo do que traz descanso e diversão à minha velhice. Pois aqui não menciono apenas a força natural que todas as coisas propagadas da terra possuem — a terra que, a partir de uma pequena semente em uma figueira, ou a semente de uma uva, ou as minúsculas sementes de outros cereais e plantas, produz troncos e galhos tão grandes. O plantio por mudas, os enxertos, os cortes, os formatos, as camadas — não são suficientes para encher qualquer pessoa de deleite e espanto? A videira, por natureza, tende a cair e, se não for sustentada, se lança ao chão; no entanto, para se manter de pé, ela abraça tudo o que alcança com suas gavinhas, como se fossem mãos. À medida que avança, espalhando-se em profusão intricada e selvagem, a habilidade do podador a corta com precisão, evitando que se torne uma floresta de brotos e se expanda descontroladamente por todas as direções. Assim, no início da primavera, nos brotos que lá ficaram, forma-se em cada uma das articulações o que é chamado de "botões". A partir daí a uva se desenvolve e se mostra; inicialmente amarga ao paladar, inchada pelo suco da terra e pelo calor do sol, mas depois adquirindo doçura à medida que amadurece; e mesmo coberta de gavinhas, nunca deixa de proporcionar um calor moderado e, ao mesmo tempo, proteger do calor escaldante do sol. Existe algo mais produtivo ou mais belo de se contemplar? Não é apenas sua utilidade, como mencionei antes, que me encanta, mas também o método de cultivo e o processo natural de crescimento: as fileiras de estacas, as treliças para suportar os galhos das plantas, o amarrar das videiras e sua propagação por camadas, a poda que mencionei anteriormente, a remoção de alguns brotos e o plantio de outros. Nem é necessário mencionar a irrigação, a escavação de valas e a preparação do solo, que aumentam em grande medida sua fertilidade. Quanto aos benefícios da adubação, já os mencionei em meu livro sobre agricultura.

O erudito Hesíodo não disse uma única palavra sobre esse assunto, embora estivesse escrevendo sobre o cultivo do

CÍCERO

solo. Ainda assim, Homero, muitas gerações antes, nos mostra Laerte cultivando e adubando seu campo, para se consolar da ausência do filho. Também não é apenas em campos de milho, prados, vinhedos e plantações que a vida de um fazendeiro se torna alegre. Há a horta e o pomar, a alimentação das ovelhas, as colmeias de abelhas, as infinitas variedades de flores. Também não é só o plantio que encanta: há também o enxerto — certamente a invenção mais engenhosa já feita por lavradores.

XVI

Posso prosseguir com minha lista das delícias da vida no campo, mas reconheço que já me estendi um pouco demais. No entanto, peço-lhes que me perdoem, a agricultura é um dos meus passatempos favoritos, e a velhice, naturalmente, nos torna um tanto tagarelas — afinal, não seria adequado se eu a absolvesse de todas as falhas.

Bem, foi nessa mesma vida que Mânio Cúrio, depois de celebrar triunfos sobre os samnitas, os sabinos e de Pirro, passou seus últimos dias. Quando olho para sua propriedade — que não está longe da minha — nunca deixo de admirar a frugalidade do homem e o espírito daquela época. Enquanto Cúrio estava sentado junto à lareira, os samnitas trouxeram-lhe uma grande quantidade de ouro, mas ele recusou; pois, segundo ele, não era algo grandioso aos seus olhos possuir ouro, mas sim governar aqueles que o possuíam. Poderia um espírito tão elevado deixar de tornar a velhice agradável?

Mas agora, vamos voltar aos camponeses para falar um pouco mais sobre mim. Naquela época, os senadores, ou seja, os mais velhos, viviam no campo: Lúcio Quíncio Cincinato estava trabalhando a terra quando lhe anunciaram que havia sido nomeado ditador. Foi por sua ordem que Caio Servílio Ahala[30], líder dos cavaleiros, matou Espúrio Mélio, que ambicionava o poder. Cúrio, assim como outros homens

---

30   Caio Servílio Ahala foi um antigo líder romano que é conhecido principalmente por seu ato de matar Espúrio Mélio, um plebeu que estava conspirando para tomar o poder em Roma. (N. do T.)

idosos, costumava receber suas convocações para comparecer ao Senado em suas fazendas, devido a essa circunstância, aqueles que iriam convocá-los eram chamados de *viatores* ou "viajantes". Alguém poderia considerar lamentável que os mais velhos encontrassem um passatempo na agricultura? Pessoalmente, duvido que haja uma forma mais feliz de passar o tempo. Não apenas a agricultura é útil, beneficiando a todos, mas também proporciona todo o prazer que mencionei. Assim, desfrutamos abundantemente de tudo o que é necessário para a vida na terra e até mesmo para o culto aos deuses. E, como tudo isso está de acordo com o desejo dos homens, há uma harmonia com o prazer. Um dono de casa atento e eficiente mantém sua adega de vinho e azeite sempre bem abastecida, assim como sua despensa de alimentos. Sua propriedade está bem provida de porcos, cabras, cordeiros e frangos; há leite, queijo e mel em abundância. Quanto à horta, os próprios agricultores a chamam de "segunda despensa". E a caça que praticam nos momentos de lazer permite aumentar um pouco mais o estoque Preciso mencionar a beleza da natureza? Vou resumir: nada se compara a uma terra bem cultivada. A velhice não é um obstáculo, mas sim uma oportunidade. Onde podemos nos aquecer ao sol ou junto ao fogo, ou refrescar-nos à sombra ou na água? Deixem os jovens com suas armas, cavalos e esportes. Para nós, idosos, basta um jogo de dados ou cartas.

XVII

Os livros de Xenofonte são muito úteis. Continue lendo-os com atenção. Ele louva a agricultura em *O Econômico*. Para mostrar que valoriza o cultivo da terra, transcrevo o que Sócrates diz a Critóbulo:

"Eu planejei tudo, as fileiras são minhas, o projeto é meu; plantei muitas das árvores com minhas próprias mãos.

Lisandro, olhando para sua túnica púrpura, seu brilho pessoal e seus adereços luxuosos de ouro e joias, disse: 'As pessoas estão certas em chamá-lo de feliz, pois a alta fortuna se uniu à sua virtude'."

Os idosos têm o poder de desfrutar dessa boa fortuna. A idade não impede que se envolvam em atividades, especialmente na agricultura. Por exemplo, temos registros de Marco Valério Corvino, que cultivou sua terra mesmo após uma carreira ativa, vivendo até os cem anos. Entre seu primeiro e sexto consulados, houve um intervalo de seis a quarenta anos. Assim, ele teve uma carreira oficial que teve a mesma duração do que os nossos antepassados definiram como o período entre o nascimento e o início da velhice. Além disso, esse último período de sua vida foi mais abençoado do que sua meia-idade, pois ele tinha mais influência e menos trabalho.

Lúcio Cecílio Metelo teve autoridade e prestígio incomparáveis! E Aulo Atílio Calatino, cujo epitáfio diz: "Esse homem, reconhecido por todas as famílias, foi um dos mais destacados do povo." A inscrição completa gravada em seu túmulo é amplamente conhecida. Seu prestígio não foi contestado, pois todos concordaram em elogiá-lo. Que homem foi também Públio Crasso, nosso grande Pontífice, até ontem! E Marco Lépido, que o sucedeu! E o que dizer de Paulo Emílio, Cipião, o Africano, e Quinto Fábio Máximo, de quem falei recentemente? Sua autoridade não se baseava apenas no que diziam, mas na maneira como, com um simples gesto, sabiam expressar sua vontade. O prestígio dos idosos, especialmente quando exerceram cargos públicos, supera em muito os prazeres da juventude.

XVIII

No entanto, ao longo do meu discurso, lembre-se de que meu elogio se refere a uma velhice construída sobre os fundamentos lançados na juventude. Daí se deduz o que antes afirmei com aplausos universais: uma velhice miserável precisa se defender com palavras. Nem cabelos brancos nem rugas podem reivindicar influência por si mesmos; é a conduta honrada dos dias passados que será recompensada com influência na fase final da vida. Até mesmo coisas consideradas insignificantes e naturais — ser saudado, cortejado, abrir caminho para alguém, ter pessoas se levantando quando se aproxima, ser acompanhado ao fórum, receber orientações — todas essas são demonstrações de respeito, observadas tanto entre nós quanto em outros Estados; com maior diligência onde os princípios morais são mais elevados. Dizem que Lisandro, o espartano, a quem mencionei anteriormente, costumava observar que Esparta era o lar mais digno para a velhice; pois em nenhum lugar se prestava mais respeito à idade, em nenhum lugar a velhice era tão honrada. Melhor ainda, conta-se a história de um homem idoso que entrou no teatro em Atenas durante os jogos, mas nenhum lugar foi oferecido a ele naquela grande assembleia, nem mesmo pelos seus próprios compatriotas. No entanto, quando ele se aproximou dos lacedemônios, que como embaixadores tinham um lugar fixo designado, eles se levantaram em respeito a ele e lhe deram um assento. Quando foram saudados com aplausos de toda a plateia, um deles comentou:

"Os atenienses sabem o que é certo, mas não o fazem."

CÍCERO

Existem muitas regras excelentes em nosso colégio augural, mas uma das melhores é aquela que diz respeito ao nosso assunto — a precedência no discurso é determinada pela idade; e os augures mais velhos são preferidos não apenas àqueles que ocuparam cargos mais altos, mas até mesmo àqueles que estão atualmente no poder do império. Então, quais são os prazeres físicos em comparação com a recompensa da influência? Aqueles que a empregaram com distinção me parecem ter interpretado o drama da vida até o fim e não terem desmoronado no último ato como atores inexperientes.

Ainda se ouve dizer que os velhos são mal-humorados, atormentados, irascíveis e rabugentos — e até avarentos, se observarmos bem. No entanto, esses são defeitos inerentes a cada indivíduo, não à velhice em si. O mau humor e outras manias que mencionei são, em certa medida, compreensíveis, embora não justificáveis. Essas pessoas se sentem desprezadas, depreciadas e ridicularizadas. Além disso, um corpo enfraquecido nos torna ainda mais vulneráveis a tais ataques. No entanto, isso não impede que um caráter sólido e bons hábitos possam amenizar essas inconveniências. Na vida, ocorre o mesmo que no teatro, como podemos ver nos dois irmãos de *Adelfos*, de Terêncio: acrimônia em uma casa, urbanidade na outra! Assim como o vinho, o caráter não necessariamente azeda com a idade. Agradeço que a velhice seja séria, mas com moderação, assim como em todas as coisas. Não aceito que ela seja carrancuda. Não consigo conceber qual pode ser o objeto da avareza dos idosos. Pois há algo mais absurdo do que buscar mais dinheiro para uma jornada quando pouco lhe resta do caminho a percorrer?

XIX

Resta a quarta razão que mais atormenta os homens da minha idade — a proximidade da morte. Que tristeza deve ser para aqueles que não aprenderam ao longo de uma vida tão longa, que a morte não deve ser temida! A morte, que pode extinguir completamente a alma ou levá-la para a eternidade. Não há uma terceira alternativa. Então, por que temer a morte se, após ela, não estarei mais miserável,ou até mesmo mais feliz? Afinal, quem pode garantir que estará vivo à noite, não importa a idade? A juventude, na verdade, enfrenta mais riscos de morte do que nós. Os jovens adoecem mais facilmente, têm doenças mais graves e necessitam de tratamentos mais intensos. Apenas alguns chegam à velhice. Se fosse diferente, a vida seria conduzida com mais sabedoria, pois é nos velhos que se encontram o pensamento, a razão e a prudência. Voltando à questão da iminência da morte, isso não é uma acusação exclusiva da velhice, pois é compartilhada pela juventude. Eu estava certo no caso de meu querido filho, assim como você, Cipião, estava certo com seus irmãos. A morte é comum em todas as fases da vida. Sim, você dirá que um jovem espera viver muito, enquanto um velho não pode esperar o mesmo. Mas é tolice esperar o incerto se tornar certo, o falso se tornar verdadeiro. Um velho não tem nada a esperar? Na verdade, ele está em uma posição melhor do que um jovem, pois já obteve o que o jovem apenas espera. O jovem deseja viver muito, o velho já viveu muito.

E, no entanto, meu Deus! O que é "longo" na vida de um homem? Vamos considerar o exemplo do rei dos tartéssios[31] Argantonio, que reinou por oitenta anos e viveu até os cento e vinte. Mas, para mim, nada parece longo quando há um "último" momento; quando ele chega, todo o passado desaparece, resta apenas o que foi alcançado pela virtude e ações justas. O tempo passa, as horas, dias, meses e anos se vão, e nunca podemos recuperar o tempo perdido nem conhecer o futuro. O tempo concedido a cada um para viver é o suficiente para se satisfazer. Um ator não precisa representar a peça do começo ao fim para obter aprovação, basta satisfazer o público em qualquer ato em que apareça. Da mesma forma, um homem sábio não precisa perseguir o "aplauso" final. Um curto período de vida é longo o bastante para viver bem e com honra. Se você vive mais, não tem o direito de reclamar, assim como os fazendeiros quando a primavera passa e chega o verão e o outono. A palavra "primavera" sugere juventude e os frutos que estão por vir, enquanto as outras estações são adequadas para a colheita e armazenamento desses frutos. Na velhice, a colheita é a memória e as bênçãos acumuladas ao longo de uma vida mais tranquila. Devemos considerar todas as coisas que estão de acordo com a natureza como boas. E o que pode estar mais de acordo com a natureza do que os velhos morrerem? Isso também acontece com os jovens, embora a natureza se revolte e lute contra isso. Assim, a morte dos jovens é como apagar um grande incêndio com um dilúvio de água, enquanto os velhos morrem como um fogo que se apaga naturalmente, sem intervenção artificial.

---

31 Tartéssios: antigos habitantes da Andaluzia. (N. do T.)

PARA SABER ENVELHECER

Os frutos verdes são removidos à força das árvores que os sustentam; ao contrário, quando estão maduros, caem naturalmente. Da mesma forma, a vida é abruptamente arrancada dos adolescentes, enquanto gradualmente deixa os idosos quando chega a hora. Concordo com tudo isso, tanto que, quanto mais me aproximo da morte, parece que estou me aproximando da terra como alguém que chega ao porto após uma longa viagem.

XX

Novamente, não há um limite fixo para a velhice, e é importante aproveitá-la enquanto se pode cumprir os deveres e ignorar a morte. Isso faz com que a velhice seja ainda mais confiante e corajosa do que a juventude. Sólon, ao responder ao tirano Pisístrato, revelou que confiava em sua velhice para se opor a ele com tanta audácia. O fim da vida é melhor quando a mente e os sentidos não são prejudicados, e a própria natureza desfaz sua obra. Assim como o construtor de um navio, ou de uma casa, pode desmontá-los mais facilmente do que qualquer outra pessoa, a natureza que formou o corpo humano também pode desfazê-lo da melhor maneira. Além disso, uma coisa recém-colada é sempre difícil de separar; se estiver velha, isso é facilmente feito.

Os velhos devem aproveitar o pouco tempo que lhes resta sem ganância ou abandono injustificado. Pitágoras nos adverte a não abandonar a fortaleza da vida sem ordem de Deus. O epitáfio de Sólon expressa o desejo de ser amado por seus amigos em sua morte, mas prefiro pensar que Ênio diz melhor:

Que ninguém me homenageie com suas lágrimas, que ninguém chore sobre meu túmulo!

Ele sustenta que a morte não é um motivo para o luto quando é seguida pela imortalidade.

Novamente, pode ser que haja alguma sensação ao morrer e isso apenas por um curto período de tempo, especialmente no caso de um idoso: após a morte, de fato, a sensação ou é aquela que se deseja ou desaparece completamente. Ignorar a morte é uma lição que deve ser aprendida desde a juventude, pois é impossível ter paz de espírito sem isso. Devemos lembrar que todos morreremos, e pode ser hoje mesmo. Como a morte está sempre próxima, como podemos ser firmes na alma se a tememos?

Mas neste tema não preciso me alongar muito. Ao lembrar de Lúcio Bruto[32], que morreu defendendo seu país; dos dois Décio, que se lançaram voluntariamente à morte; de Marco Atílio[33], que preferiu a tortura a quebrar sua palavra ao inimigo; dos dois Cipiões, que bloquearam o avanço dos cartagineses com seus corpos; de Lúcio Paulo[34], que pagou com a vida pelo erro de seu colega em Canas; de Marco Marcelo[35], cuja morte nem os inimigos mais sanguinários permitiriam passar sem honras funerárias. Nossas legiões, como registrei em *As Origens*, marcharam alegremente para terras das quais acreditavam que nunca retornariam. Então, o que os jovens — não apenas desinformados, mas absolutamente ignorantes — consideram como algo insignificante, faria com que homens velhos e instruídos tremessem de medo? Em geral, é o cansaço de todas as atividades que traz o cansaço da vida. Cada fase

---

32 Lúcio Bruto foi um dos primeiros cônsules eleitos da República Romana. (N. do T.)

33 Marco Atílio Régulo (c. 300 a.C. - 201 a.C.) foi cônsul entre 267 e 256 a.C. (N. do T.)

34 Lúcio Emílio Paulo foi um general romano que viveu entre 229 a.C. e 160 a.C. Ele é conhecido principalmente por sua participação na Segunda Guerra Púnica e por sua morte na Batalha de Canas. (N. do T.)

35 Marco Cláudio Marcelo foi um general e político romano que viveu de 268 a.C. a 208 a.C. Ele é mais conhecido por seu papel durante a Segunda Guerra Púnica, quando lutou contra o general cartaginês Aníbal. (N. do T.)

CÍCERO

da vida tem suas próprias atividades, adaptadas à infância, à idade adulta e à velhice. Quando essas atividades desaparecem, a velhice traz consigo um senso de completude, e é então que o tempo está propício para a morte.

XXI

Não vejo motivo para não expressar minha opinião pessoal sobre a morte, que parece mais clara à medida que me aproximo dela. Acredito que os pais de vocês, Cipião e Lélio — homens ilustres e meus queridos amigos — ainda estão vivos, mas em uma vida digna desse nome. Enquanto estivermos presos neste corpo, cumprimos uma função designada pelo destino. A alma, de origem celestial, é forçada a descer e ficar aprisionada na Terra, um lugar oposto à sua natureza divina e imortal. Acredito que os deuses imortais semearam almas nos corpos humanos para observar o mundo, imitando a ordem dos corpos celestes em sua vida regular e constante. Essa crença não se baseia apenas na razão e nos argumentos, mas também na reputação e autoridade dos filósofos mais eminentes. Fui informado de que Pitágoras e os pitagóricos, quase nativos de nossa região, a antiga escola italiana de filósofos, nunca duvidaram que possuímos almas provenientes da inteligência divina universal. Sócrates, considerado o homem mais sábio pelo oráculo de Delfos[36], proferiu um discurso sobre a imortalidade da alma no último dia de sua vida. Não preciso dizer mais nada. Estou convencido e sustento que uma natureza que possui talentos tão diversos — movimento ágil, memória vívida do passado, conhecimento profético do futuro, inúmeras realizações,

---

36 O Oráculo de Delfos foi um famoso santuário na Grécia Antiga dedicado ao deus Apolo. Ele era conhecido como um local onde pessoas buscavam orientação e previsões sobre assuntos importantes, como decisões políticas, questões pessoais e eventos futuros. (N. do T.)

vasto conhecimento e numerosas descobertas — não pode ser mortal. Como a alma está sempre em movimento e não possui fonte externa para se movimentar, concluo que seu movimento não terá fim, pois não há motivo para que se detenha. Além disso, como a natureza da alma é indivisível, homogênea e sem mistura, concluo que ela é indestrutível. Outra evidência forte é que os seres humanos têm conhecimento de muitas coisas antes de nascerem, pois absorvem rapidamente fatos quando são crianças, demonstrando que não estão aprendendo pela primeira vez, mas se lembrando e recordando. Essa é a essência do argumento de Platão.

XXII

Mais uma vez, em Xenofonte, o ancião Ciro fala em seu leito de morte:

Meus caríssimos filhos, vocês não devem acreditar, quando seu pai os tiver deixado, que ele não será mais nada e que desaparecerá. Enquanto ele vivia entre vocês, não percebiam sua alma, mas compreendiam, por seus atos e gestos, que ela estava em seu corpo. Devem ter certeza de sua existência, mesmo que nada mais a torne visível.

Os grandes homens não seriam tão venerados após sua morte se algo que preserva sua lembrança não emanasse de suas almas. Nunca pude acreditar que a alma, viva enquanto habitava o corpo, morresse ao deixá-lo; tampouco que, ao escapar do corpo de um insensato, ela permanecesse insensata. Pelo contrário, acredito que, liberta de seu invólucro carnal e voltando a ser pura e homogênea, a alma volta a ser sábia. Além disso, quando o corpo se desagrega após a morte, é possível perceber claramente de onde vinham e para onde retornam os elementos que o constituíam. Apenas a alma, esteja presente ou não, jamais se mostra.

Além disso, vocês notam que nada se assemelha tanto à morte quanto o sono. E a alma do adormecido manifesta claramente sua natureza divina: em repouso, relaxada, ela frequentemente prevê o futuro. Isso nos dá uma ideia do que ela será no dia em que estiver totalmente livre de sua prisão corporal. Se o que acredito for verdade, então me

CÍCERO

honrem como a um deus. Se, ao contrário, a alma morre com o corpo, é venerando os deuses, organizadores e guardiões do universo, que vocês cultivarão como bons filhos à minha lembrança.

XXIII

Essas são as palavras de Ciro no momento de sua morte. Com sua licença, vamos observar agora o que se passa entre nós. Jamais me farão acreditar que o pai de Cipião, Lúcio Emílio Paulo, o Macedônio, seus dois avós, Paulo Emílio e Cipião, o Africano, seu pai e seu tio, e tantos outros heróis que não vale a pena mencionar, tenham se dedicado tanto para deixar um legado se não acreditassem na posteridade.

Vocês acreditam — permita-me um pouco de autoelogio como um velho — que eu teria passado meus dias e noites ocupado, em tempos de guerra e de paz, se acreditasse que minha glória terminaria com minha vida? Não teria sido melhor permitir-me viver docemente, sem esforço ou trabalho? Desconheço o motivo, mas minha alma sempre pressentiu o futuro, como se tivesse previsto que, uma vez deixada a vida, finalmente viveria. Não, se fosse verdade que as almas não são imortais, os grandes homens não teriam empenhado tanto esforço para alcançar a glória e a imortalidade.

Novamente, não é verdade que o homem mais sábio sempre morre com serenidade, enquanto o mais tolo o faz com o mínimo? A alma mais clara e perspicaz percebe que está partindo para algo melhor, ao passo que a alma turva não enxerga tal coisa? Pessoalmente, sou movido pelo desejo de rever seus pais, a quem reverencio e amo. Não são apenas aqueles que conheci que desejo rever; são também aqueles de quem ouvi e li, e que registrei em minha história. Quando estiver partindo, certamente não há ninguém que conseguiria me trazer de volta facilmente, ou me colocar para ferver num caldeirão como Pélias[37].

Se um deus me permitisse recomeçar minha infância a partir de minha idade atual e chorar novamente no berço, eu recusaria firmemente; não estaria disposto, depois de ter percorrido todo o caminho, a ser chamado de volta antes de chegar à linha de chegada.

Pois que benção a vida tem a oferecer? Não deveríamos dizer que é um trabalho? E mesmo que haja algum prazer nela, afinal, há um limite para o gozo e para a existência. Não desejo menosprezar a vida, como muitos homens e filósofos bons frequentemente fizeram; não me arrependo de ter vivido, pois fiz isso de uma maneira que não me deixa pensar ter nascido em vão

Mas deixo a vida como se fosse uma pousada, não como se fosse uma casa. Pois a natureza nos deu um lugar de entretenimento, não de residência.

Oh, dia glorioso em que partirei para o encontro das almas celestiais, deixando para trás a turbulência e impurezas deste mundo! Além dos mencionados, irei juntar-me ao meu amado filho Catão, que foi exemplar em sua piedade. Embora eu tenha realizado o funeral dele, deveria ter sido o contrário, pois foi ele quem partiu primeiro e me aguardou. Acreditava firmemente que nossa separação seria breve, o que me trouxe algum conforto diante da perda.

---

37 Medeia incitou as filhas de Pélias a desmembrarem seu pai e ferverem seus pedaços em um caldeirão, na esperança de rejuvenescê-lo. (N. do T.)

PARA SABER ENVELHECER

Por isso, meu caro Cipião, minha velhice não me pesa, ao contrário, é leve e até prazerosa, como você e Lélio costumavam se surpreender. Se estiver enganado sobre a imortalidade da alma, ficarei feliz por estar equivocado e não permitirei que me roubem o prazer desse erro enquanto estiver vivo. E se, como afirmam alguns filósofos insignificantes, após a morte não houver sensação, não temo o ridículo desses filósofos falecidos. Mesmo que não desejemos ser imortais, é natural que desejemos que nossa vida tenha um fim adequado, assim como todas as coisas têm seu limite. A velhice é como o desenrolar do drama.

Isso é tudo que tenho a dizer sobre a velhice. Oro para que vocês também experimentem essa fase e possam comprovar minhas palavras na prática.

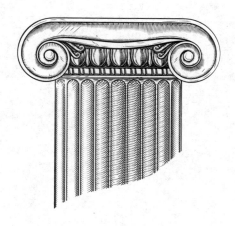

SOBRE A AMIZADE

I

Quinto Múcio Cévola, o áugure, costumava contar várias histórias sobre seu sogro Caio Lélio, lembradas com precisão e contadas com charme. Sempre que falava dele, dava-lhe o título de "o sábio" sem hesitação. Meu pai me apresentou a Cévola assim que assumi a toga viril[38], e aproveitei essa oportunidade para ficar ao lado desse venerável homem o máximo que pude. Como resultado, gravei em minha memória muitas de suas dissertações, assim como apotegmas[39] curtos e concisos. Aproveitei ao máximo sua sabedoria. Quando ele faleceu, procurei o auxílio de Cévola, o Pontífice, a quem considero o mais distinto de nossos compatriotas em habilidade e integridade. No entanto, falarei mais sobre isso em outras ocasiões. Voltando a Cévola, o áugure, lembro-me de uma ocasião em particular em que ele estava sentado em um banco semicircular no jardim, como era seu costume, quando eu e alguns amigos íntimos estávamos lá. Ele direcionou a conversa para um assunto que estava sendo muito discutido na época. Você deve se lembrar, Ático, pois era próximo de Públio Sulpício. Sua disputa mortal como tribuno com o cônsul Quinto Pompeio causou grande espanto e até indignação, considerando a estreita intimidade e afeto que existiam entre eles anteriormente. Bem, nessa ocasião, Cévola mencionou essa circunstância específica e nos detalhou um discurso de Lélio sobre a amizade. Esse discurso foi profe-

---

38 Toga utilizada pelos jovens romanos como símbolo de entrada na idade adulta. (N. do R.)

39 Sentença moral breve e conceituosa; um aforismo. (N. do R)

rido por Lélio alguns dias após a morte de Africano, tanto para Cévola quanto para o outro genro de Lélio, Caio Fânio, filho de Marco. Os pontos dessa discussão eu gravei na memória, e os organizei neste livro. Ao introduzi-los, de certa forma, incluí os próprios interlocutores, a fim de evitar uma intervenção excessiva de "eu disse" ou "ele disse" e, ao mesmo tempo, criar a impressão de que os protagonistas estão conversando diante de nós.

Muitas vezes você me pediu para escrever algo sobre a amizade, e reconheci que o assunto parecia merecer a atenção de todos; é especialmente adequado para a estreita intimidade que existe entre você e eu. Assim, eu estava pronto para beneficiar o público a seu pedido.

Quanto aos *dramatis personae*[40]: no tratado sobre a velhice, o qual dediquei a você, eu apresentei Cato como o principal interlocutor. Ninguém, pensei eu, poderia falar com maior propriedade sobre a velhice do que alguém que havia sido idoso por mais tempo do que qualquer outro, e havia sido excepcionalmente vigoroso em sua velhice.

Uma vez que nos foi ensinado pelos nossos pais que a intimidade entre Caio Lélio e Públio Cipião foi a mais memorável que já existiu, é Lélio quem me parece adequado para desenvolver as ideias das quais Cévola se lembrava, por tê-lo ouvido discorrer. Além disso, esse tipo de exposição, feito sob a autoridade de homens do passado, especialmente os mais ilustres, por alguma razão, parece ter mais peso para mim. Assim, quando releio meus próprios escritos, às vezes

---

40 Expressão do latim para se referir aos personagens de uma obra. (N. do R.)

SOBRE A AMIZADE

experimento a curiosa impressão de que é Catão, e não eu, quem está falando.

Por fim, assim como enviei o ensaio anterior a você como um presente de um idoso para outro, dediquei este *Sobre a Amizade* como um presente de amigo muito afetuoso para outro. Catão expressava-se certamente como o homem mais velho daquela época e o mais sábio; agora é Lélio, igualmente sábio — pelo menos lhe foi atribuída essa reputação — e famoso pela glória que a amizade lhe trouxe, quem falará sobre a amizade. Gostaria que, por um momento, desviasse sua atenção de mim e imaginasse estar ouvindo o próprio Lélio discorrendo. Assim acontece: Caio Fânio e Quinto Múcio vêm visitar seu sogro após a morte de Cipião, o Africano; são eles que iniciam a conversa, e Lélio responde: toda a dissertação sobre a amizade é dele, e, ao lê-la, descobrirás a você mesmo.

II

Fânio — Você está absolutamente correto, Lélio! Nunca houve um personagem melhor ou mais ilustre do que Africano. No entanto, você deve considerar que, neste momento, todos os olhos estão voltados para você. Todos te chamam de "o sábio" por excelência, e pensam assim. A mesma marca de respeito foi recentemente concedida a Catão, e sabemos que, na última geração, Lúcio Acílio foi chamado de "o sábio". No entanto, em ambos os casos, a palavra foi aplicada com certa diferença. Acílio era chamado assim por sua reputação como jurista; Catão recebeu o título como uma espécie de honraria, em sua extrema velhice, devido à sua vasta experiência em negócios, sua reputação de previsão e firmeza, e a sagacidade das opiniões que expressou no senado e no fórum. No seu caso, porém, você é considerado sábio de uma maneira um tanto diferente, não apenas por sua habilidade e caráter naturais, mas também por sua diligência e erudição; e não no sentido em que o termo é comumente usado, mas no sentido em que os estudiosos conferem esse título. Nesse sentido, não lemos sobre ninguém na Grécia sendo chamado de sábio, exceto um homem em Atenas[41]; e ele, certamente, foi proclamado pelo oráculo de Apolo como "o homem supremamente sábio". Pois aqueles que geralmente são considerados como parte dos "Sete Sábios" não são admitidos na categoria dos sábios por críticos rigorosos. Seu povo culto acredita que tal consiste em se considerar au-

---

41   Sócrates. (N. do T.)

SOBRE A AMIZADE

tossuficiente, e em ver as mudanças ou infortúnios da vida mortal como incapazes de afetar a virtude. Assim, eles sempre me perguntam, e sem dúvida também a nosso Cévola aqui, como você lida com a morte de Africano; além disso, nas últimas Nonas[42], quando nos encontramos nos jardins do áugure Décimo Bruto, como costumávamos fazer, para refletirmos juntos, você não compareceu; você que sempre cumpriu pontualmente aquele encontro e aquela obrigação.

Cévola — Sim, de fato, Lélio, muitas vezes me fazem a pergunta mencionada por Fânio. Mas respondo de acordo com o que observei: digo que você suporta de maneira razoável a dor que sente pela morte de alguém que era ao mesmo tempo um homem de caráter ilustre e um amigo muito querido. É claro que você não poderia deixar de ser afetado — qualquer outra reação teria sido totalmente antinatural em um homem de sua natureza gentil —, mas a causa da ausência em nossa reunião da faculdade foi doença, e não luto.

Lélio — Obrigado, Cévola! Você está correto. Pois, de fato, eu não tinha o direito de me afastar de um dever que regularmente cumpria enquanto estava bem, por qualquer que fosse o infortúnio pessoal; nem acredito que adversidades farão com que um homem de princípios interrompa um dever. Quanto ao fato de você me contar, Fânio, sobre o título honroso que me foi dado (um nome ao qual não reconheço como título meu e tampouco o reivindico), você, sem dúvida, age com sentimentos de afeto; mas devo dizer que me parece fazer menos do que justiça a Catão. Se alguém já foi

---

42 As Nonas, no calendário romano, eram um dia próprio para tratar dos negócios públicos ou particulares. (N. do T.)

"sábio" — do qual tenho minhas dúvidas — foi ele. Deixando de lado todo o resto, considere como ele suportou a morte de seu filho! Eu não havia esquecido Paulo[43]. Mas eles perderam seus filhos quando ainda eram crianças; Catão perdeu o dele quando já era um homem adulto, com uma reputação garantida. Portanto, não se apresse em considerar Catão como superior até mesmo daquele personagem famoso que, como você diz, Apolo declarou ser "o mais sábio". Lembre-se de que a reputação do primeiro se baseia em ações, enquanto a do segundo se baseia em palavras.

---

43 Paulo Emílio tinha quatro filhos. Dois deles foram confiados legalmente a pais adotivos. Um deles entrou para a família Cipião, ganhando o sobrenome Emiliano e tornando-se amigo íntimo de Lélio. (N. do T.)

III

A partir de agora, abordarei esse assunto falando para ambos ao mesmo tempo. Aqui está a minha perspectiva.

Se eu dissesse que não sinto a perda de Cipião, deveria deixar que os filósofos justificassem minha conduta, mas na verdade estaria mentindo. É claro que estou afetado pela perda de um amigo, pois acho que nunca mais haverá alguém como ele, assim como posso dizer sem medo que nunca houve antes. Mas não preciso de remédios. Busco conforto da melhor maneira possível: evitando cair no erro que geralmente atormenta as pessoas após a morte de seus amigos. Não acredito que um infortúnio tenha atingido Cipião; se atingiu alguém, foi a mim mesmo, isso se realmente houver algum. Ser severamente aflito pelas próprias misérias não mostra que você ama um amigo, mostra que ama a si mesmo.

Quanto a ele, quem pode dizer que não está tudo mais do que bem? Pois, a menos que ele tivesse o desejo fantasioso de alcançar a imortalidade, o que mais um homem mortal poderia desejar que ele não tenha alcançado? Desde a juventude, ele justificou amplamente as esperanças depositadas nele por seus concidadãos quando criança, com sua extraordinária coragem pessoal. Embora nunca tenha buscado o consulado, foi eleito cônsul duas vezes: a primeira ainda antes de atingir a maioridade e a segunda em um momento que, para ele, poderia ser considerado o momento certo, mas estava próximo de ser tarde demais para os interesses do Estado. Com a conquista de

CÍCERO

duas cidades[44] que eram inimigas ferrenhas do nosso Império, ele não apenas pôs fim às guerras então intensas, mas também eliminou a possibilidade de futuros conflitos. O que dizer da graça requintada de suas maneiras, de sua reverência dedicada à mãe, de sua generosidade para com suas irmãs, de sua bondade com seus parentes e integridade exemplar de suas ações para com todos? Tudo isso você já sabe. Por fim, o apreço que seus concidadãos tinham por ele foi demonstrado pelos sinais de luto que acompanharam suas cerimônias fúnebres.

O que um homem assim poderia ter alcançado com a adição de alguns anos? Embora a idade não necessariamente represente um fardo — lembro-me de Catão discutindo isso na minha presença e de Cipião dois anos antes de sua morte —, ela certamente tira o vigor e o frescor dos quais Cipião ainda desfrutava. Podemos concluir, portanto, que sua vida, devido à boa sorte que o acompanhou e à glória que obteve, foi tão completa que não poderia ter sido melhor; enquanto sua morte rápida o poupou do sofrimento da decadência. Quanto à maneira que morreu, é difícil falar; podemos notar o que as pessoas suspeitam. No entanto, posso dizer o seguinte: Cipião testemunhou muitos dias de triunfo e exultação suprema em sua vida, mas nenhum foi mais magnífico do que o último, quando, após a aclamação do Senado, foi escoltado pelos senadores, pelo povo de Roma, aliados e latinos até sua própria porta. Com tamanho nível de estima e popularidade, o próximo passo naturalmente seria sua ascensão aos deuses, em vez de sua descida ao Hades[45].

---

44   Cartago e Numância. (N. do T.)
45   O submundo na mitologia grega é conhecido como Hades. (N. do T.)

IV

Não sou adepto das ideias dos filósofos modernos, os quais afirmam que nossas almas perecem junto aos corpos, e que a morte é o fim de tudo. Para mim, a visão antiga carrega mais peso: seja a dos nossos próprios ancestrais, que dedicaram solenes rituais aos mortos, algo que claramente não teriam feito se acreditassem na aniquilação completa; ou a dos filósofos que visitaram este país e, por meio de suas máximas e doutrinas, instruíram a Magna Grécia, que outrora florescia, embora agora esteja em ruínas; ou a do homem proclamado como "o mais sábio" pelo oráculo de Apolo, que ensinava, com pouca variação em relação à maioria dos filósofos, que "as almas dos homens são divinas, e que quando deixam seus corpos, um caminho de volta ao paraíso é aberto para eles, mais fácil de ser percorrido pelos que foram virtuosos e justos". Esse pensamento foi compartilhado por Cipião, alguns dias antes de sua morte, como se tivesse o pressentimento do que estava por vir. Ele discursou por três dias na República. Foi acompanhado por Fílon e Manílio, dentre outros filósofos, e eu os trouxe, me acompanhando, Cévola. A última parte de seu discurso se referia, principalmente, à imortalidade da alma. Ele nos contou o que ouviu de Cipião, "O Velho", em um sonho. Se é verdade, então, que em proporção à bondade de um homem, a fuga do que pode ser chamado de prisão e grilhões da carne é facilitada, quem poderíamos imaginar ter uma jornada mais fácil em direção aos deuses do que Cipião? Portanto, estou inclinado a pensar que, no caso dele, o luto seria mais um sinal de inveja do que de amizade. No entanto, se a verdade é que o corpo e a alma perecem juntos e que nenhuma sensação persiste, então, embora não haja nada de bom na morte, ao menos não há nada de ruim. A ausência de sensação torna um homem exatamente como se nunca tivesse nascido. No entanto, o fato de que esse homem nasceu é motivo de alegria para mim, e será motivo de regozijo para este Estado até o último instante. Portanto, visto que a morte não traz nada de bom, também não tem como trazer algo de ruim.

Assim, como mencionei anteriormente, ele está bem. O mesmo não se aplica a mim; pois, como entrei na vida antes dele, seria mais justo para mim deixá-la antes dele também. No entanto, o prazer que sinto ao recordar nossa amizade é tão grande que considero minha vida feliz por tê-la passado ao lado de Cipião. Compartilhamos tanto os assuntos públicos quanto os privados; vivemos juntos em Roma e servimos no exterior. Entre nós, havia uma harmonia completa em gostos, ocupações e sentimentos, o que é o verdadeiro segredo da amizade. Portanto, não é naquela reputação de sabedoria mencionada anteriormente por Fânio, especialmente porque é infundada, que encontro minha felicidade; mas sim na esperança de que a lembrança de nossa amizade seja duradoura. O que mais me preocupa é o fato de que, em toda a história, existem apenas três ou quatro pares de amigos registrados. É junto a eles que nutro a esperança de que minha amizade e de Cipião seja reconhecida pela posteridade.

Fânio — Certamente, Lélio, esse é o caminho correto. No entanto, já que você mencionou a palavra "amizade"

SOBRE A AMIZADE

e estamos em um ambiente descontraído, seria de grande gentileza da sua parte, e espero que Cévola assim também pense, se você expressasse seus sentimentos sobre a amizade, sua essência, e as diretrizes a serem seguidas em relação a ela, como é de costume quando questionado sobre outros assuntos.

Cévola — Claro que ficarei encantado. Fânio antecipou o pedido que eu estava prestes a fazer. Dessa forma, você estará nos fazendo um grande favor.

V

Lélio — Certamente, eu não teria nenhuma objeção se estivesse confiante em minha própria capacidade. Pois o assunto é nobre e estamos, como Fânio mencionou, em um ambiente descontraído. No entanto, quem sou eu? E que habilidades possuo? O que você propõe é mais adequado para os filósofos profissionais, especialmente os gregos, que estão acostumados a terem o tema de uma discussão apresentado a eles no calor do momento. É uma tarefa bastante desafiadora e requer muita prática. Portanto, para um discurso aprofundado sobre a amizade, acredito que vocês devam buscar os ensinamentos de professores especializados. Tudo o que posso fazer é encorajá-los a considerar a amizade como a melhor coisa do mundo, pois não há nada que se encaixe tão perfeitamente em nossa natureza, e atenda exatamente ao que buscamos na prosperidade ou na adversidade.

Antes de mais nada, devo estabelecer desde o início este princípio: *a amizade só pode existir entre pessoas boas*. No entanto, não vou pressionar tal ponto com muita rigidez, como os filósofos que buscam uma precisão desnecessária em suas definições. Eles podem ter a verdade do lado deles, talvez, mas isso não traz benefícios práticos. Refiro-me àqueles que afirmam que apenas o "sábio" é "bom". Concordo plenamente. Mas a "sabedoria" que eles têm em mente é uma que nenhum mortal já alcançou.Devemos nos preocupar com os fatos da vida cotidiana assim como os encontramos, e não com perfeições imaginárias e ideais. Mesmo Caio Fabrício, Mânio Cúrio, e Tibério Coruncânio, a quem nossos ancestrais reconheceram como "sábios", eu nunca poderia declará-los como verdadeiramente sábios, de acordo com o critério deles. Deixemos, então, que reservem a palavra "sabedoria" para si mesmos. Isso apenas irrita as pessoas; ninguém realmente entende o que isso significa. Que eles reconheçam que os homens os quais mencionei eram "bons". Mas não, eles também não farão isso. Dizem que apenas os "sábios" podem receber tal título. Bem, então, vamos dispensá-los e seguir em frente da melhor maneira possível, com nossa modesta inteligência humana.

Por "bons" entendemos, então, aqueles cujas ações e vidas não deixam dúvidas quanto à sua honra, pureza, equidade e liberalidade; que estão livres de ganância, luxúria e violência; e que têm a coragem de suas convicções. Os homens que acabei de citar podem servir de exemplo. Homens como esses são geralmente considerados "bons"; vamos concordar em chamá-los assim, com base no fato de que, com o melhor da capacidade humana, eles seguem a natureza como guia mais perfeito para uma vida correta.

Agora essa verdade me parece clara: a natureza nos formou de tal maneira que há um certo vínculo unindo a todos nós, mas tal se torna mais forte pela proximidade. É por isso que tendemos a preferir nossos concidadãos em nossas afeições em vez dos estrangeiros, e nossos parentes em vez dos desconhecidos. Neste caso, a própria natureza trouxe à existência uma forma de amizade, embora seja uma forma que carece de alguns dos elementos de permanência. A força que a amizade possui se torna completamente clara para nós quando consideramos o seguinte: em meio à vasta sociedade humana, estabelecida pela própria natureza, um vínculo é formado e fortalecido de tal maneira que o afeto se concentra exclusivamente entre duas pessoas, ou raramente mais que isso. Assim, a amizade tem mais valor do que o parentesco, pois o parentesco pode perder toda a afeição, enquanto a amizade não. Se retirarmos o afeto, não haverá mais uma amizade digna desse nome, mas o parentesco ainda subsiste. Você pode compreender melhor essa amizade ao considerar que, enquanto os laços meramente naturais que unem a raça humana são indefinidos, este é tão concentrado e restrito a uma esfera tão específica que o afeto é compartilhado apenas por duas pessoas ou, no máximo, por algumas.

VI

Agora podemos definir a amizade da seguinte forma: um acordo completo sobre todos os assuntos humanos e divinos, unido por boa vontade e afeto mútuos. Com exceção da sabedoria, penso que os deuses imortais não nos concederam nada melhor do que isso. Algumas pessoas valorizam mais a riqueza, a boa saúde, o poder, o status ou os prazeres sensoriais. Este último é o ideal dos brutos, e os outros são frágeis e incertos, dependendo mais do capricho da sorte do que de nossa própria prudência. Também há aqueles que colocam a virtude como o "bem maior". Essa é uma doutrina nobre. No entanto, a própria virtude que mencionam é a mãe e guardiã da amizade, e sem ela a última não poderia existir.

Vamos, digo novamente, usar a palavra virtude em seu sentido comum, e não a definir com linguagem pomposa. Consideremos pessoas como Paulo Emílio, Catão, Galo, Cipião e Fílon como exemplos de pessoas boas o suficiente para a vida cotidiana, e não nos preocupemos com esses ideais inatingíveis que não existem em lugar algum.

Bem, entre homens como esses, as vantagens da amizade são quase indescritíveis. Para começar, como pode valer a pena viver uma vida que carece da tranquilidade encontrada na mútua boa vontade de um amigo, como disse Ênio? O que pode ser mais agradável do que ter alguém em quem você pode confiar plenamente, e a quem pode contar tudo, com a mesma confiança que tem em si mesmo? A prosperidade não perde metade de seu valor se não houver ninguém com quem compartilhar sua alegria? Além disso, os infortúnios seriam difíceis de suportar se não houvesse alguém para sentir sua dor ainda mais intensamente do que você. Em poucas palavras, outros objetivos de ambição servem a propósitos específicos: riquezas são para uso, poder é para garantir exaltação, cargos são para reputação, prazer é para diversão, saúde é para a ausência de dor e pleno funcionamento do corpo. Mas a amizade abrange inúmeras vantagens. Seja onde for, você a encontrará ao seu lado. Ela está em toda parte e, no entanto, nunca está fora do lugar, e nunca é indesejável. O próprio fogo e água, usando uma expressão comum, não são tão universalmente úteis quanto a amizade. Não estou falando apenas da forma comum ou modificada dela, que também é fonte de prazer e benefício, mas sim daquela amizade verdadeira e completa que existiu entre os poucos selecionados que são conhecidos pela fama. Essa amizade amplia a prosperidade e alivia o fardo da adversidade, dividindo-o ao meio.

VII

E por maiores e numerosas que sejam as bênçãos da amizade, esta certamente é soberana, nos dando brilhantes esperanças para o futuro e proibindo a fraqueza e o desespero. Diante de um verdadeiro amigo, um homem vê uma segunda parte de si, de forma que onde quer que seu amigo esteja, estará ele presente também. Diante de um verdadeiro amigo, os indigentes são ricos, os fracos são cheios de força e, o que é mais difícil de explicar: os mortos são vivos, na medida em que o respeito, a lembrança e o pesar de seus amigos continuam conectados a eles. Portanto, a morte de uns não parece ser uma infelicidade, e a vida dos outros desperta estima. O último talvez seja o mais difícil de conceber. Mas tal é o efeito do respeito, da lembrança amorosa e do pesar dos amigos que nos acompanham até o túmulo. Enquanto eles amenizam o peso da morte, acrescentam glória à vida dos sobreviventes. Se eliminar da natureza o laço de afeição, não restará lar ou cidade, nem mesmo a prática da agricultura. Se não reconhece a virtude da amizade e da harmonia, podem aprendê-la observando os efeitos das brigas e discórdias. Alguma família ou Estado já foram tão bem estabelecidos a ponto de estarem além do alcance da destruição total, causada por animosidades e facções? Isso pode nos ensinar sobre a imensa vantagem da amizade.

Dizem que um certo filósofo de Agrigento, em um poema grego, proclamou, com a autoridade de um oráculo, a doutrina da imutabilidade de todas as coisas na natureza e universo em virtude da força vinculante da amizade; tudo o que era mutável, assim era pelo poder dissolvente da discórdia. E, de fato, esta é uma verdade que todos entendem e praticamente testemunham pela experiência. Pois quando ocorre um exemplo marcante de amizade leal, ao enfrentar ou compartilhar o perigo, todos o aplaudem com entusiasmo. Quantos aplausos houve, por exemplo, em todo o teatro durante uma cena na peça de meu amigo e convidado Marco Pacúvio: no momento em que, diante do rei que ignorava qual dos dois era Orestes, Pílades se declarou Orestes para que pudesse morrer em seu lugar, enquanto o verdadeiro continuava a afirmar ser quem de fato era. A plateia ficou emocionada e aplaudiu vigorosamente. E isso foi um incidente fictício: o que teriam eles feito, podemos supor, se tivesse acontecido na vida real? É fácil perceber o quão poderoso é o sentimento natural, quando homens que não teriam a coragem de agir de tal maneira, mostram o quanto valorizam a atitude em outros.

Acho que não tenho mais nada a dizer sobre o assunto. Se houver mais, e não tenho dúvidas de que há muito, vocês devem, se quiserem, consultar aqueles que confessam discutir tais assuntos.

Fânio — Preferimos interrogá-lo. No entanto, muitas vezes consultei tais pessoas e ouvi o que tinham a dizer com certa satisfação. Mas em seu discurso, de alguma forma, sente-se que há uma tensão diferente.

Cévola — Você teria dito ainda mais, Fânio, se estivesse presente outro dia nos jardins de Cipião, quando tivemos a discussão sobre o Estado. Quão esplendidamente ele defendeu a justiça contra o discurso elaborado de Filo.

SOBRE A AMIZADE

Fânio — Ah! É naturalmente fácil para o mais justo dos homens defender a justiça.

Cévola — Bem, então, e a amizade? Quem poderia discorrer sobre isso com mais facilidade do que o homem cuja principal glória é uma amizade mantida com a mais absoluta fidelidade, constância e integridade?

VIII

Lélio — Você realmente está querendo me coagir. Não faz diferença que tipo de coação você usa; ainda é coação. Já é desafiador resistir aos desejos de dois genros, mas se, além disso, eles estão repletos de boas intenções, a resistência sequer é justificável!

Na maioria das vezes, ao refletir sobre a amizade, tenho o hábito de voltar ao ponto que me parece fundamental: será por fraqueza e necessidade que a buscamos, cada um visando, por sua vez, através de uma reciprocidade de serviços, receber do outro e devolver-lhe isso ou aquilo que não pode obter por seus próprios meios? Ou seria apenas uma de suas manifestações, sendo a amizade originada principalmente de uma outra fonte, mais interessante e mais bela, escondida na própria natureza? De fato, o amor, de onde provém a palavra amizade no latim, tem como base inicial a simpatia recíproca. Quanto aos favores, não é raro que sejam obtidos também de pessoas iludidas por uma aparente amizade e um cuidado circunstancial. Porém, na amizade real, nada é fingido, nada é simulado, e tudo é genuíno e espontâneo.

Concluo, portanto, que a amizade surge mais de um impulso natural do que de um desejo de ajuda: é resultado de uma inclinação do coração, combinada com um certo sentimento instintivo de amor, e não de um cálculo consciente sobre a vantagem material que poderia ser obtida. A força desse sentimento pode ser observada em certos animais; eles demonstram tanto amor por seus filhotes por um determi-

SOBRE A AMIZADE

nado período de tempo, e são igualmente amados por eles, evidenciando claramente essa afeição natural e instintiva. No entanto, é mais evidente no caso dos seres humanos: primeiro, na afeição natural entre pais e filhos, algo que apenas uma maldade chocante poderia romper; e além disso, quando a paixão do amor atinge uma força semelhante — quando encontramos alguém cujo caráter e natureza despertam total simpatia, porque percebemos nele uma espécie de farol que emana a luz da virtude. Pois nada inspira o amor e constrói afeição como a virtude. De certa forma, podemos até sentir afeição por pessoas que nunca vimos, devido à sua honestidade e integridade. Quem, por exemplo, não sente algum afeto e sentimento caloroso ao refletir sobre a memória de Caio Fabrício, ou Mânio Cúrio, mesmo sem tê-los conhecido pessoalmente? Quem não abomina Tarquínio, o Soberbo, Espúrio Cássio e Espúrio Mélio? Nós lutamos na Itália contra dois grandes generais, Pirro e Aníbal. Com relação ao primeiro, devido à sua integridade, não nutrimos sentimentos profundos de inimizade; já em relação ao segundo, devido à sua crueldade, nosso país o detestou e sempre o detestará.

IX

Agora, se a atração pela integridade é tão forte que podemos amá-la não apenas naqueles que nunca vimos, mas, o que é mais importante, até mesmo em um inimigo, não devemos nos surpreender se os sentimentos dos homens forem despertos quando acreditam ter visto virtude e bondade naqueles com quem podem desenvolver intimidade. Não nego que o afeto seja fortalecido pela recepção efetiva de benefícios, bem como pela percepção do desejo de prestar um serviço, juntamente com uma relação mais estreita. Quando esses elementos são adicionados ao impulso original do coração, ao qual me referi, surge um calor de sentimento bastante surpreendente. E se alguém pensa que isso surge de um sentimento de fraqueza, acreditando que cada pessoa precisa de alguém para ajudá-la em suas necessidades pessoais, tudo o que posso dizer é que, ao afirmar que a amizade nasce da carência e pobreza, ele atribui uma origem muito baixa e uma ascendência, se me permitem a expressão, longe de ser nobre. Se fosse esse o caso, a inclinação de uma pessoa para a amizade seria exatamente proporcional à sua baixa opinião sobre seus próprios recursos. No entanto, a verdade é exatamente o oposto. Pois quando a confiança de alguém em si mesmo é maior, sendo fortalecido pela virtude e sabedoria a ponto de não precisar de nada e sentir-se absolutamente autossuficiente, é então que se destaca por buscar e manter amizades.

O Africano, por exemplo, precisa de alguma coisa de minha parte? De maneira alguma. Nem eu precisava de algo

SOBRE A AMIZADE

da parte dele, mas admirava a força de sua personalidade; ele, por sua vez, talvez não considerasse meu temperamento ruim; ele gostava de mim. O hábito de nos encontrarmos fez crescer nossa simpatia mútua. Embora muitas vantagens importantes tenham surgido disso, certamente não foi a ambição de obtê-las que provocou nosso afeto.

Pois, não buscamos ser benevolentes e generosos com o objetivo de obter gratidão, e não consideramos um ato de bondade como um investimento, mas sim seguimos uma inclinação natural à generosidade. Assim, acreditamos que vale a pena buscar a amizade não porque somos atraídos por ela visando ganhos futuros, mas sim pela convicção de que aquilo oferecido está do início ao fim presente no próprio sentimento.

Muito diferente é a perspectiva daqueles que, como brutos, relacionam tudo ao prazer sensorial. E não é surpreendente. Homens que reduziram todos os seus poderes de pensamento a um objetivo tão mesquinho e desprezível não podem, é claro, elevar seus olhares para nada elevado, grandioso ou divino. Vamos deixar essas pessoas fora de discussão. Aceitemos a doutrina de que a sensação de amor e o fervor da predisposição têm sua origem em um sentimento espontâneo que surge diretamente quando a presença da retidão é percebida. Uma vez que os homens tenham desenvolvido essa inclinação, naturalmente tentam se apegar ao objeto dela e se aproximar cada vez mais. Seu objetivo é estar em igualdade e sintonia no afeto, estando mais inclinados a prestar bons serviços do que a buscar retribuição, e que haja essa nobre rivalidade entre eles. Assim, ambas as verdades serão estabelecidas. Obteremos as vantagens materiais mais importantes da amizade; e sua origem, de um impulso natural, e não de um sentimento de necessidade, será ao mesmo tempo mais digna e mais coerente com os fatos. Pois se fosse verdade que suas vantagens materiais sustentam a amizade, também seria verdade que qualquer mudança nessas vantagens a dissolveria. Mas como a natureza é incapaz de mudar, segue-se que as verdadeiras amizades são eternas. Essa é, portanto, a origem da amizade, a menos que você tenha algo a contestar.

Fânio — Não, pode prosseguir, Lélio. Respondo também por meu amigo, pois minha condição de mais velho me dá esse direito.

Cévola — Não contestarei esse ponto. Somos todos ouvidos!

X

Lélio — Bem, meus bons amigos, permitam-me compartilhar algumas reflexões sobre a amizade que ocorriam frequentemente entre mim e Cipião. Devo começar revelando seu costume em afirmar que a coisa mais difícil do mundo era manter uma amizade intacta ao longo da vida. Muitos fatores podem interferir: interesses conflitantes, divergências políticas, mudanças frequentes de caráter, seja devido às adversidades ou à velhice. Ele costumava ilustrar esses fatos com a analogia da infância, pois as amizades mais calorosas entre as crianças geralmente são deixadas para trás junto com a toga pretexta[46]. E mesmo que algumas amizades sobrevivessem até a adolescência, às vezes eram rompidas por rivalidades românticas ou outras circunstâncias incompatíveis com suas reivindicações mútuas. Mesmo que a amizade se prolongasse além desse período, muitas vezes era abalada se os dois se tornassem concorrentes em uma posição de destaque. Pois, embora a ganância fosse o golpe mais fatal para a amizade na maioria dos casos, nos melhores homens era a rivalidade por cargos e reputação que frequentemente levava ao surgimento de uma inimizade intensa entre antes amigos próximos.

Além disso, grandes rupturas, na maioria das vezes justificáveis, ocorriam devido a pedidos imorais feitos aos amigos; seja para satisfazer desejos profanos de alguém ou

---

46 Toga branca, debruada de púrpura, que usavam os magistrados de Roma e os jovens das famílias patrícias. (N. do R.)

para ajudá-los a cometer um erro. Aqueles que se recusam a fazer tais pedidos o fazem com a maior honestidade. No entanto, os amigos pelos quais não foram influenciados os acusam de negligenciar os deveres da amizade. Por outro lado, aqueles que ousam pedir qualquer coisa a um amigo testemunham, por meio de seu próprio pedido, que não têm escrúpulos quando se trata de favorecer a causa da amizade. Suas recriminações geralmente têm o efeito de não apenas enfraquecer as amizades mais antigas, mas também gerar ódios eternos. "De fato", ele costumava dizer, "essas fatalidades pairam sobre a amizade em tamanha quantidade que se faz necessária não apenas a sabedoria, mas também a sorte para evitá-las".

XI

Com essas premissas, então, vamos primeiro, por favor, examinar a questão: até onde deve ir o sentimento pessoal na amizade? Por exemplo: se Coriolano tinha amigos, eles eram obrigados a pegar em armas com ele contra sua própria pátria? Ou então, deveriam os amigos apoiar Vecelino ou Mélio quando tramavam conspirações para se tornarem tiranos? Observe o caso de ambas as linhas de conduta:

Quando Tibério Graco causou danos à República, vimos Quinto Tuberão e os amigos de sua geração abandonarem-no. Por outro lado, Cévola, um hóspede da sua família, Caio Blóssio Cumano, veio a mim para suplicar — eu estava atuando como conselheiro oficial dos cônsules Lenas e Rupílio com a tarefa de julgar os conspiradores — que perdoasse suas ações. Ele tentou se desculpar dizendo que, como Tibério Graco havia realizado grandes feitos. Caio estava convencido de que deveria segui-lo, não importando quais fossem suas ordens. *"Mesmo que ele quisesse que você incendiasse o templo do Capitólio?"eu perguntei. "Ele nunca teria desejado isso", respondeu "mas se o desejasse, eu o teria feito".*

A maldade desse discurso é tão evidente que dispensa comentários. Na verdade, ele não apenas falava, mas também agia de maneira eficaz e superior. Ele não seguia cegamente os planos audaciosos de Tibério Graco; ele os liderava e estava à frente deles. Ele era um líder, não um cúmplice de sua loucura. No final, sua paixão o levou a fugir para a Ásia, com medo do julgamento do tribunal especial designado para julgá-lo. Ele se juntou aos inimigos de seu país e sofreu um castigo pesado e merecido pelas mãos da República.

Portanto, concluo que a alegação de agir no interesse de um amigo não é uma desculpa válida para ações erradas. A amizade se baseia na crença na virtude de uma pessoa, e é difícil manter a amizade se a virtude for abandonada. Se decidirmos conceder a nossos amigos tudo o que desejam e pedir-lhes tudo o que queremos, é necessário que haja perfeita sabedoria de ambas as partes para evitar danos. No entanto, não podemos presumir que tenhamos essa sabedoria perfeita, pois estamos lidando com amigos comuns que encontramos em nossa vida cotidiana, seja pessoalmente ou ouvindo falar deles.

Aqui, gostaria de mencionar alguns exemplos dessas pessoas, escolhendo aqueles que se aproximam mais do nosso padrão de sabedoria. Por exemplo, lemos sobre a íntima amizade entre Papo Emílio e Lúscino. A história nos conta que eles foram cônsules juntos por duas vezes e também colegas na censura[47].

Além disso, é do conhecimento de todos que Mânio Cúrio e Tibério Coruncânio tinham grande proximidade com eles, e também entre eles. É inconcebível sequer suspeitar que algum deles tenha exigido de um amigo algo contrário à lealdade, ao juramento de fidelidade e à República . No caso dessas figuras, não há razão para esclarecer que, mesmo se

---

47 A "censura" era uma magistratura poderosa em Roma. Ser um censor concedia o direito de inspecionar, examinar e criticar publicamente quase todos os domínios administrativos e políticos. Os dois poderes, em Roma, estavam entrelaçados, o que contribuiu para o declínio da República, culminando no período de Cícero, quando a mesma acabou perecendo. (N. do T.)

SOBRE A AMIZADE

um deles tivesse feito um pedido, não teria obtido nada, uma vez que eram homens rigorosamente irrepreensíveis e que é tão criminoso satisfazer quanto formular tal pedido. Por outro lado, é verdade que Tibério Graco foi de fato apoiado por Caio Carbo e Caio Cato, mas seu irmão Caio Graco não o fez assim naquela época, embora atualmente seja o seu seguidor mais fiel.

XII

Podemos estabelecer, portanto, a seguinte regra de amizade: não devemos pedir nem consentir em fazer o que é errado. O apelo "em nome da amizade" é desacreditado e não deve ser aceito de forma alguma. Essa regra se aplica a todas as ações ilícitas, mas especialmente àquelas que envolvem deslealdade para com a República. Pois chegamos a um ponto em que devemos olhar adiante, meus queridos Fânio e Cévola, e considerar o que provavelmente acontecerá com a mesma. A constituição, como nossos ancestrais a conheciam, já se desviou um pouco do curso normal e dos princípios pelos quais foi estabelecida. Tibério Graco tentou adquirir poder de um rei, ou melhor, desfrutou desse poder por alguns meses. O povo romano já testemunhou algo semelhante? O que os amigos e parentes que o seguiram, mesmo após sua morte, foram capazes de fazer no caso de Públio Cipião, não posso descrever sem derramar lágrimas. Quanto a Carbo, graças ao castigo recentemente imposto a Tibério Graco, conseguimos resistir aos seus ataques, seja de forma pacífica ou forçada. No entanto, não gosto de prever o que podemos esperar do tribunato de Caio Graco. Os presságios são desfavoráveis. A situação volta a se deteriorar, se ramifica e, à beira do desastre, quando ganha impulso, arrasta tudo consigo. Vocês já testemunharam, no que diz respeito ao processo de votação, os danos causados pelas leis Gabinia e Cassia[48], separadas por apenas dois anos.

---

48 Essas duas leis eram favoráveis do ponto de vista da democracia moderna — o que Roma não era, de fato. Elas estabeleciam o voto secreto nas eleições e nos tribunais de justiça, a fim de tornar impossíveis as represálias contra os eleitores ou jurados. (N. do T.)

SOBRE A AMIZADE

Parece-me que estou vendo o povo se distanciar do Senado, com o arbítrio da multidão decidindo sobre questões graves. Pois é mais fácil aprender a manipular as massas de todas as formas do que resistir a elas.

Qual é o propósito dessas observações? É o seguinte: ninguém jamais empreende uma tentativa desse tipo sem a ajuda de amigos. Devemos, portanto, convencer as pessoas de boa índole de que, se inevitavelmente se envolverem em amizades com pessoas desse tipo, não devem sentir-se obrigadas a apoiar amigos desleais à República. Os indivíduos malignos devem temer o castigo diante de seus olhos; um castigo não menos severo para aqueles que seguem o mal do que para aqueles que induzem outros ao crime. Quem era mais famoso e poderoso na Grécia do que Temístocles? Como líder do exército na guerra contra os persas, ele a libertou. Ele foi exilado devido à inveja pessoal, mas não retribuiu o mal infligido a ele por sua ingrata pátria como deveria. Ele fez como Coriolano fizera entre nós vinte anos antes. No entanto, não encontraram ninguém para ajudá-los em seus ataques contra a sua pátria. Como resultado, ambos cometeram suicídio[49].

Concluímos, portanto, que não apenas nenhuma aliança de pessoas mal-intencionadas deve ser permitida sob a justificativa da amizade, mas, além disso, tal deve ser punida com o máximo rigor, para que não prevaleça a ideia de que a lealdade a um amigo justifica até mesmo travar guerra con-

---

49   As circunstâncias das duas mortes são incertas: muitos historiadores antigos acreditam que ambos encerraram suas vidas de forma discreta. (N. do T.)

tra o próprio país. E este é um caso que estou inclinado a pensar que, considerando como as coisas estão começando a se desenrolar, eventualmente surgirá. Preocupo-me menos com o futuro da República após a minha morte do que com sua evolução atual.

XIII

Que se estabeleça, então, como primeira lei da amizade, que devemos pedir aos amigos e fazer pelos amigos apenas o que é bom. Mas também não devemos esperar esse pedido, ou que haja sempre uma ágil prontidão e ausência de hesitação. Tenhamos a coragem para dar conselhos com franqueza. Na amizade, que a influência de amigos que dão bons conselhos seja suprema, e que tal influência seja usada para impor esses conselhos, não apenas com palavras, mas algumas vezes, caso necessário, com avidez; e uma vez dito, que seja obedecido.

Eu vos apresento essas regras pois acredito que alguns apontamentos maravilhosos são dados por certas pessoas que têm, ouvi dizer, uma reputação de sábios na Grécia. . Aliás, não há nada no mundo que esteja além de seu sofisma. Bem, alguns deles dizem que devemos evitar amizades muito próximas, com medo de terem que se preocupar com os problemas dos outros. Cada homem, eles dizem, tem mais dificuldades que o suficiente em suas próprias mãos, e não é bom se envolver nas preocupações de outras pessoas. O mais sensato é deixar, na medida do possível, a rédea solta em nossas amizades, de modo que possamos apertá-la ou soltá-la a nosso critério. Para ser feliz, a tranquilidade é o principal, pois um espírito não pode desfrutá-la se está constantemente preocupado com uma multidão de pessoas.

No entanto, há outros que sustentam teses muito mais questionáveis, como mencionei brevemente. Segundo eles, a busca pela amizade se deve à necessidade de assistência e proteção, e não por simpatia e afeição. De acordo com esse princípio, quanto menos sólido e forte alguém é, mais ele buscará a amizade. Isso explicaria por que as mulheres buscam mais a proteção da amizade do que os homens, os pobres mais do que os ricos e os infelizes mais do que aqueles considerados felizes.

Que nobre filosofia! Poderíamos dizer que aqueles que retiram o Sol do mundo são os mesmos que retiram a amizade da vida, pois não recebemos nada melhor, e nada mais agradável dos deuses imortais.

Mas vamos examinar as duas doutrinas. Qual o valor dessa "liberdade da preocupação"? Ela é muito tentadora à primeira vista, mas na prática deve ser colocada de lado em muitos casos. Não há nenhum assunto ou ação, que sejam exigidos pela nossa honra, os quais você possa negar veementemente, ou deixar de lado uma vez que iniciados, apenas para poder fugir da preocupação. Não, se queremos evitá-la precisamos evitar a própria virtude, que necessariamente envolve alguns pensamentos preocupantes, os quais mostram sua aversão e desprezo pelas qualidades que são opostas a si, como a gentileza com a crueldade, autocontrole com a libertinagem, coragem com a covardia. Além disso, você também pode ver como são os justos que mais se lamentam pelas injustiças, os corajosos com os atos de covardia, os comedidos com a depravação. Com isso, é caraterística de uma mente bem ordenada se satisfazer com o que é bom, e se entristecer com o oposto.

SOBRE A AMIZADE

Considerando, portanto, que a dor aflige a alma do sábio — o que certamente acontece, a menos que toda a humanidade esteja erradicada de sua alma —, qual seria a razão para eliminar completamente a amizade de nossas vidas, apenas pelo fato de que ela nos impõe alguns desagrados? Se retirarmos a emoção, qual diferença resta, não apenas entre um homem e um animal, mas também entre um homem e uma pedra, um tronco de madeira, ou qualquer outra coisa desprovida de sentimentos?

Também não devemos dar peso à doutrina de que a virtude é tão rígida e inflexível como o ferro. Na verdade, em relação à amizade, assim como em muitas outras coisas, ela é tão flexível e sensível que se expande, por assim dizer, na boa sorte de um amigo, e se contrai em seus infortúnios. Portanto, concluímos que a ansiedade frequentemente enfrentada por causa de um amigo não é suficiente para eliminar a amizade de nossa vida, assim como não é verdade que as virtudes devam ser descartadas porque envolvem certos anseios e angústias.

XIV

Deixe-me repetir, então: "A clara indicação de virtude, que naturalmente atrai uma mente de caráter semelhante, é o início da amizade". Nesse caso, o aumento do afeto é uma necessidade. Pois o que poderia ser mais irracional do que buscar prazer em coisas inanimadas, como cargos, fama, casas suntuosas e vestimentas, enquanto se tem pouco ou nenhum interesse em um ser sensível dotado de virtude, capaz de amar e retribuir o amor? Pois nada é mais prazeroso do que a reciprocidade de afeto e a troca mútua de bons sentimentos e favores. E se afirmarmos, com razão, que nada atrai e une tanto quanto a semelhança na amizade, será aceito como verdade que os bons amam os bons e os unem a si mesmos, como se estivessem ligados pelo sangue e pela natureza. Pois nada é mais ávido, ou melhor, anseia por algo semelhante a si mesmo do que a própria natureza.

A partir disso, meus estimados Fânio e Cévola, é evidente para mim que há uma simpatia quase inevitável entre as pessoas boas, e isto é o princípio da amizade estabelecido pela natureza. Mas essa mesma bondade se estende também a todas as pessoas. De fato, a virtude não é desumana, avarenta nem orgulhosa — ela tem o hábito de proteger nações inteiras e agir da melhor maneira em seus interesses, o que certamente não faria se lhe fosse repugnante amar as pessoas.

Mais uma vez, aqueles que acreditam na teoria do "interesse" parecem destruir o elo mais atraente na cadeia da amizade. Pois o que realmente traz prazer não é tanto o que

SOBRE A AMIZADE

alguém recebe de um amigo, mas sim o calor do sentimento compartilhado; e só nos importamos com o serviço prestado por um amigo se ele for motivado pelo afeto. Além disso, longe de ser verdade que a falta de recursos seja um motivo para buscar amizade; geralmente são os mais ricos em bens e meios, e acima de tudo em virtude, que menos precisam de outros e são mais generosos e benevolentes. Na verdade, eu inclino-me a pensar que os amigos devem, às vezes, sentir falta de algo. Por exemplo, que valor teriam minhas afeições se Cipião nunca tivesse buscado meu conselho ou cooperação em assuntos domésticos ou estrangeiros? Portanto, não é a amizade que segue a vantagem material, mas sim a amizade que *traz* vantagens materiais.

XV

Portanto, não devemos dar ouvidos a esses senhores refinados quando falam sobre amizade, pois eles não a conhecem nem na teoria nem na prática. Pois quem, em nome dos céus, escolheria uma vida de maior riqueza e abundância com a condição de não amar ou ser amado por ninguém? Esse tipo de vida é suportado apenas pelos tiranos. Eles, é claro, não podem contar com fidelidade, afeto ou confiança na boa vontade de ninguém. Tudo é suspeito e alarmante; a possibilidade de amizade não existe para eles. Como alguém pode amar a quem teme ou sabe que é temido? No entanto, esses homens têm uma aparência de amizade oferecida a eles, mas trata-se apenas de uma ilusão passageira. Se caírem, como geralmente acontece, perceberão imediatamente que não têm amigos verdadeiros. Dizem que Tarquínio observou, durante seu exílio, que nunca soube quais de seus amigos eram genuínos e quais eram falsos, até que deixou de poder retribuir. Embora o que me surpreenda é o fato de um homem com seu caráter orgulhoso e autoritário, tenha podido ter um amigo sequer. E é precisamente esse caráter que o impede de amigos verdadeiros, o que muitas vezes ocorre no caso de pessoas extremamente ricas — sua própria riqueza impede amizades leais. Pois não é apenas a sorte que é cega; ela também torna cegos aqueles que desfrutam de seus favores. Eles se tornam arrogantes e obstinados; e nada pode ser mais insuportável do que um tolo bem-sucedido. Com frequência, podemos testemunhar isso. Homens que antes tinham maneiras agradáveis passam por uma mudan-

SOBRE A AMIZADE

ça completa quando alcançam altos cargos de poder. Eles desprezam seus antigos amigos e se dedicam aos novos.

Agora, pode haver algo mais tolo do que homens, tendo todas as oportunidades que a prosperidade, riqueza e grandes recursos podem oferecer, consigam tudo o que o dinheiro possa comprar — cavalos, criados, mobiliário suntuoso e utensílios de mesa luxuosos —, mas não consigam amigos, que são, se posso usar a expressão, os ornamentos mais valiosos e belos da vida? E, no entanto, quando adquirem essas oportunidades, não sabem quem delas desfrutará, e nem por quem estão fazendo tanto esforço; pois todas essas coisas eventualmente pertencerão ao mais forte, enquanto cada pessoa possui uma propriedade estável e inalienável em suas amizades.

E mesmo que essas posses, que são de certa forma os presentes do destino, sejam permanentes, a vida nunca poderia ser outra coisa senão tristeza, caso estejamos sem os consolos e a companhia dos amigos.

XVI

Para abordarmos outro aspecto do nosso tema, devemos agora esforçar-nos para determinar os limites a serem observados na amizade, ou seja, qual é a linha que não devemos ultrapassar em nossa afeição. Sobre este ponto, observo três opiniões, com as quais não concordo.

A primeira sugere que *devemos amar nosso amigo apenas na medida em que amamos a nós mesmos, e nada além disso.* A segunda afirma que *nossa afeição por eles deve corresponder exatamente à afeição deles por nós.* A terceira argumenta que *devemos valorizar um indivíduo exatamente na mesma medida em que ele se valoriza.*

Nenhuma dessas opiniões é aceitável para mim. A primeira opinião, a qual sugere que devemos basear nossa consideração pelo amigo em nossa consideração por nós mesmos, não é verdadeira. Quantas coisas fazemos por um amigo que nunca faríamos por nós mesmos! Mendigamos a pessoas indignas, humilhamo-nos em súplicas, tornamo--nos mais afiados em insultos e mais agressivos em ataques. Essas ações não seriam consideradas válidas em relação aos nossos próprios interesses, mas são extremamente significativas para os interesses dos nossos amigos. Além disso, há muitas vantagens que pessoas de caráter nobre renunciam voluntariamente, ou das quais abrem mão, para que seus amigos possam desfrutá-las em seu lugar.

A segunda doutrina limita a amizade a uma igualdade exata de favores e sentimentos benevolentes. No entanto,

SOBRE A AMIZADE

essa visão estreita e mesquinha reduz tal a uma questão de contabilidade, como se o objetivo fosse equilibrar um débito e um crédito. A verdadeira amizade, ao meu ver, é algo mais rico e generoso do que isso. Não devemos temer que algo seja desperdiçado ou excedido nela. Devemos estar dispostos a dar mais do que recebemos, sem medo de ultrapassar nossos termos.

No entanto, a última limitação proposta é a pior de todas: a ideia de que a opinião de um amigo sobre si mesmo deve ser a medida da nossa estima por ele. Muitas vezes, um indivíduo tem uma visão muito modesta de si mesmo, ou uma perspectiva pessimista em relação às suas chances de melhorar sua situação. Nesses casos, um amigo não deve adotar a mesma visão que ele tem de si mesmo. Pelo contrário, deve fazer tudo ao seu alcance para elevar seu ânimo e inspirar esperanças e pensamentos mais positivos.

Precisamos, portanto, encontrar algum outro limite. No entanto, devo mencionar um sentimento que costumava provocar as críticas mais severas de Cipião. Ele costumava afirmar que nada expressava de forma mais oposta ao espírito da amizade do que a frase: "Você deve amar seu amigo com a consciência de que um dia poderá odiá-lo". Cipião não conseguia acreditar que esse ditado fosse legítimo e atribuído a Bias, considerado um dos Sete Sábios. Essa afirmação refletia os motivos sinistros ou a ambição egoísta de alguém que via tudo apenas em relação à sua própria supremacia. Como alguém pode ser amigo de outra pessoa se acredita ser possível tornar-se seu inimigo? Isso implica que ele deseja que seu amigo cometa erros, para assim ter motivos para se opor a ele, e, por outro lado, ficará ressentido, irritado e com ciúmes das ações corretas e da boa sorte dos mesmos. Essa máxima, seja de quem for, é a completa destruição da amizade. A verdadeira regra é ter cuidado na escolha de nossos amigos, garantindo que nunca façamos amizade com alguém que possamos odiar em qualquer circunstância. Além disso, se por acaso não tivéssemos sido muito felizes em nossas escolhas afetivas, Cipião acreditava que deveríamos suportá-las, e não nos prepararmos para períodos de inimizade.

XVII

O verdadeiro limite a ser observado na amizade é simples: os amigos devem possuir um caráter impecável. Deve haver uma total harmonia de interesses, propósitos e objetivos, sem exceções. Portanto, se surgir a situação em que um amigo solicita apoio em uma questão não estritamente correta em si mesma, podemos fazer uma concessão do caminho certo — desde que não fira gravemente a honra. Algo deve ser concedido em nome da amizade. No entanto, não devemos ser negligentes em relação à nossa reputação, nem considerar a opinião pública como algo insignificante ao conduzir nossas vidas, embora bajular e usar palavras suaves possa ser humilhante. Não devemos, de forma alguma, renunciar a virtude, já que esta assegura nosso afeto.

Retomando o ponto de vista de Cipião sobre a amizade, ele costumava reclamar que os homens dedicavam pouco esforço a esse assunto. Cada um sabia exatamente quantas cabras ou ovelhas possuía, mas não quantos amigos tinha. Embora se esforçassem para adquirir riquezas, eram descuidados na escolha de amigos e não possuíam critérios claros para julgar sua adequação à amizade. As qualidades que devemos buscar ao selecionar amigos são a firmeza, a estabilidade e a constância. Infelizmente, homens com essas características são escassos, e é difícil formar um julgamento sem um teste prévio. Esse teste só pode ser realizado durante a existência real da amizade, pois muitas vezes ela precede a formação de um julgamento e torna impossível uma avaliação anterior. Se formos prudentes, devemos controlar nosso impulso de afeição da mesma forma que controlamos os cavalos de uma carruagem: realizamos testes preliminares. Assim, devemos estabelecer amizades e testar o caráter de nossos amigos por meio de uma espécie de experimentação. Muitas vezes, a falta de confiança de certas pessoas se revela em pequenas questões de dinheiro, e outras só se mostram quando grandes somas estão envolvidas. No entanto, mesmo que encontremos aqueles que parecem valorizar o dinheiro mais do que a amizade, devemos procurar a colocar acima de cargos, promoções civis ou militares e poder político. Quando confrontados com a escolha entre tais coisas e as demandas da amizade, eles dão uma forte preferência à última? Não é da natureza humana ser indiferente ao poder político, e se a recompensa por o alcançar é o sacrifício da amizade, muitos acham que sua traição será justificada pela magnitude da recompensa.

É por isso que é tão difícil encontrar a verdadeira amizade entre aqueles envolvidos na política e na busca por cargos. Onde podemos encontrar alguém que coloque o progresso de seu amigo acima do próprio? Além disso, pense em quão difícil e doloroso é para a maioria dos indivíduos compartilhar o desastre político. É raro encontrar quem seja capaz de fazer isso. Embora seja verdade o que Ênio diz:

"A hora da necessidade mostra quem é realmente amigo."

Aqui, é evidente a inconstância e a fragilidade de caráter na maioria das pessoas, pois quando tudo está bem, elas não valorizam tal fato, mas quando tudo vai mal, abandonam o barco. Portanto, aquele que demonstra profundidade, constância e estabilidade na amizade em ambos os casos, é um indivíduo que devemos considerar como tendo uma essência extremamente rara, e quase sobre-humana.

XVIII

Agora, qual é a qualidade a ser observada como garantia da estabilidade e permanência da amizade? É a lealdade. Nada pode ser estável sem isso. Ao selecionar nossos amigos, devemos buscar também a simplicidade, uma disposição sociável e uma natureza empática, que reage às coisas da mesma maneira que nós. Esses elementos contribuem para manter a lealdade. Não podemos confiar em pessoas complicadas e tortuosas. Além disso, alguém que seja antipático por natureza e indiferente ao que nos afeta não pode ser confiável e constante. Também é importante que não se sinta prazer em fazer acusações contra nós e que não acredite nessas acusações quando feitas por outros. Esses aspectos contribuem para a constância que tenho tentado descrever. E o resultado é, como eu comecei dizendo, que a amizade só é possível entre homens bons.

Além disso, existem duas características que um homem bom — que pode ser considerado equivalente a um homem sábio — sempre demonstrará em relação aos seus amigos. Primeiro, ele será autêntico e não fingirá sentimentos que não possui. A expressão aberta, mesmo de antipatia, é mais adequada para uma pessoa sincera do que a dissimulação calculada de sentimentos. Em segundo lugar, ele não apenas rejeitará todas as acusações feitas contra seu amigo por outros, mas também não suspeitará dele mesmo, nem estará sempre pensando que seu amigo agiu de maneira inadequada. Além disso, é importante que haja afabilidade

CÍCERO

nas palavras e no comportamento, pois isso adiciona sabor agradável à amizade. Embora um temperamento sombrio e uma seriedade constante possam ser impressionantes, a amizade deve ser um pouco mais flexível, mais indulgente e graciosa, e mais inclinada a todas as formas de companheirismo e bondade.

XIX

Mas surge aqui uma questão um tanto difícil. Existem momentos em que, reconhecendo seu valor, devemos preferir novos amigos aos antigos, assim como preferimos cavalos jovens aos mais velhos? A resposta é clara e não deixa margem para dúvidas. Pois não deve haver saciedade na amizade, como ocorre em outras coisas. Quanto mais antiga, mais preciosa, assim como nos vinhos que envelhecem bem. E o ditado é verdadeiro: "Você deve compartilhar muito sal com alguém para ser seu amigo". A novidade, de fato, tem suas vantagens, que não devemos menosprezar. Sempre há esperança de frutos, assim como em espigas de milho saudáveis. No entanto, a antiguidade também deve ter seu devido lugar; de fato, a influência do tempo e do hábito é poderosa.

Mesmo no caso de um cavalo, para retomar a comparação, ninguém deixará de montar, se nada o impede, com mais prazer naquele do qual está acostumado em vez de um novo animal com o qual nunca trabalhou. Essa questão do hábito, aliás, não se aplica apenas ao reino animal, mas também a coisas inanimadas, como a preferência que temos por certos lugares, mesmo que sejam montanhosos e cheios de florestas, onde residimos por mais tempo do que em outras partes.

Mas aqui está outra regra essencial na amizade: coloque-se no mesmo nível do seu amigo. Muitas vezes acontece de existir certas superioridades, como por exemplo a de Cipião em nosso grupo. No entanto, ele nunca agiu de forma superior em relação a Fílon, Rupílio, Múmio ou a amigos de nível inferior. Por exemplo, ele sempre mostrou deferência ao seu irmão Quinto Máximo por ser mais velho, mesmo que ele não fosse seu igual em termos de caráter. Cipião também desejava que todos os seus amigos se tornassem melhores por seu apoio. Esse é um exemplo que todos devemos seguir. Se algum de nós tiver alguma vantagem em caráter pessoal, inteligência ou fortuna, devemos estar prontos para compartilhar com nossos amigos e torná-los participantes e parceiros em nossas conquistas. Por exemplo, se os pais deles estão em uma situação humilde, se suas relações não são poderosas em termos de inteligência ou recursos, devemos suprir suas deficiências e promover sua posição e dignidade. Você já ouviu falar das lendas de crianças que foram criadas como servos, sem conhecimento de sua verdadeira família? Quando essas crianças são finalmente reconhecidas e descobrem que são filhos de deuses ou reis, ainda mantêm afeto pelos pastores que as criaram durante tantos anos. O mesmo deveria acontecer com pais reais e indubitáveis. Pois as vantagens do talento, virtude e todas as formas de superioridade nunca são totalmente satisfeitas até que sejam compartilhadas com aqueles mais próximos e queridos para nós.

XX

Mas também é importante observar o oposto. Na amizade e nos relacionamentos, assim como aqueles que possuem alguma superioridade devem se colocar no mesmo nível dos menos afortunados, estes últimos também não devem se ressentir por serem superados em talento, fortuna ou posição. No entanto, a maioria das pessoas desse tipo está constantemente reclamando ou insistindo em suas próprias reivindicações, especialmente se acham que têm serviços próprios para oferecer em termos de zelo e amizade, ou se enfrentam problemas pessoais. Essas pessoas que sempre se gabam de seus serviços se tornam uma fonte de incômodo. O destinatário deve lembrar-se dos favores recebidos, mas quem os realizou nunca deve mencioná-los. No caso de amigos, assim como os superiores são obrigados a se rebaixar, eles também são obrigados, de certa forma, a elevar aqueles que estão abaixo deles. Pois há pessoas que tornam a amizade desagradável, ao se sentirem menosprezadas. Isso geralmente acontece apenas com aqueles que acreditam merecer tal tratamento, e a eles deve ser mostrado, por meio de ações e palavras, que sua opinião não tem fundamentos. Agora, a medida dos benefícios que você concede deve ser, em primeiro lugar, a sua própria capacidade de oferecer e, em segundo lugar, a capacidade daquele a quem você está concedendo afeto e ajuda de receber e apreciar esses benefícios. Por mais prestígio pessoal que você tenha, não é possível elevar todos os seus amigos aos cargos mais altos do Estado.

Por exemplo, Cipião conseguiu fazer de Públio Rupílio um cônsul, mas não conseguiu fazer o mesmo por seu irmão Lúcio. Portanto, mesmo que você possa oferecer qualquer coisa a qualquer pessoa, é importante ter cuidado para não ultrapassar seus limites.

Como regra geral, devemos esperar para decidir sobre amizades até que o caráter e a personalidade das pessoas tenham amadurecido completamente. Não devemos considerar como amigos íntimos todos aqueles que compartilham nossos interesses e lazeres na juventude, como a caça ou o jogo. Se seguíssemos essa lógica, enfermeiras e tutores de escravos teriam os mesmos direitos de afeto que os verdadeiros amigos. Não que devamos negligenciar essas relações, mas elas estão em uma categoria diferente. Apenas amizades maduras podem ser duradouras, pois a diferença de caráter leva a diferentes objetivos, e isso acaba afastando os amigos. A principal razão pela qual pessoas boas não fazem amizade com pessoas más, ou vice-versa, é justamente essa divergência de caráter e objetivos.

Outra boa regra na amizade é esta: não permita que um afeto excessivo prejudique os interesses mais elevados de seus amigos. Isso ocorre com muita frequência. Vou usar outra história fabulosa como exemplo. Neoptólemo nunca teria conquistado Troia se tivesse cedido aos apelos de Licomedes, que o criou e, com lágrimas nos olhos, tentou impedir sua partida. Muitas vezes, questões importantes exigem que nos afastemos de nossos amigos. Um homem que tenta impedi-lo, alegando que não suportaria a sepa-

SOBRE A AMIZADE

ração, mostra uma natureza fraca e frouxa, e isso não faz dele um bom amigo. É claro que há limites para o que se pode esperar de um amigo e para o que devemos permitir que ele exija de nós. E esses limites devem ser levados em consideração em cada caso.

XXI

Novamente, há momentos em que uma amizade precisa ser rompida, e às vezes é algo inevitável. Neste ponto, estamos deixando de lado as reflexões dos sábios e entrando na esfera das amizades entre as pessoas comuns. Pode acontecer que o comportamento vicioso de alguém afete seus próprios amigos ou até mesmo estranhos, mas a desaprovação recai sobre os amigos. Em tais casos, é aconselhável permitir que a amizade se dissolva gradualmente, diminuindo o contato e o envolvimento. Como Catão costumava dizer, é melhor desatar os laços da amizade do que rasgá-los completamente, a menos que a conduta prejudicial seja tão grave e ultrajante que uma ruptura imediata seja a única opção compatível com a honra e a retidão. Da mesma forma, se houver uma mudança de caráter ou objetivos, como geralmente ocorre, ou se a política gerar uma divisão de sentimentos (estou falando agora de amizades comuns, não das amizades dos sábios), devemos tomar cuidado para não parecer que estamos declarando uma inimizade ativa, quando na verdade estamos apenas renunciando a uma amizade. Não há nada mais vergonhoso do que estar em uma guerra aberta com alguém com quem tivemos uma estreita afeição. Cipião, como você sabe, terminou sua amizade com Quinto Pompeio por minha causa; e novamente, devido a divergências políticas, ele se afastou do meu colega Metelo. Em ambos os casos, ele agiu com dignidade e moderação, mostrando-se ofendido, mas sem guardar rancor.

SOBRE A AMIZADE

Portanto, nosso primeiro objetivo deve ser evitar uma ruptura; nosso segundo objetivo é garantir que, se ela ocorrer, nossa amizade pareça ter se desvanecido de forma natural e tranquila, sem violência. Em seguida, devemos ter cuidado para não transformar a amizade em hostilidade ativa, que leva a brigas pessoais, palavras ofensivas e recriminações raivosas. No entanto, desde que esses comportamentos não ultrapassem os limites razoáveis de tolerância, devemos suportá-los e, em nome de uma antiga amizade, permitir que a parte danosa seja considerada errada, em vez daquele que sofre o dano.

Em qualquer caso, diante de todos os ultrajes e danos desse tipo, a única precaução e medida preventiva é não se apressar em amar, especialmente pessoas que não são dignas disso.

Quando digo "digno de amizade", estou me referindo àqueles que possuem qualidades que atraem afeto. Pessoas desse tipo são raras, assim como tudo o que é excelente é escasso: nada é mais difícil de encontrar do que algo perfeito em todos os aspectos dentro de sua categoria. No entanto, a maioria das pessoas não reconhece nada como bom em suas vidas, a menos que seja lucrativo. Elas veem os amigos como um investimento, preocupando-se mais com aqueles de quem esperam obter benefícios. Como resultado, elas nunca experimentam a beleza e a espontaneidade da amizade genuína;aquela que é buscada apenas por si mesma, sem nenhum interesse ulterior. Além disso, elas falham em compreender a natureza e a força da amizade através de seus próprios sentimentos. Cada indivíduo ama a si mesmo, não por qualquer recompensa que esse amor possa trazer, mas simplesmente porque ele é estimado por si mesmo, independentemente de qualquer outra coisa. No entanto, a menos que esse sentimento seja estendido a outra pessoa, a verdadeira natureza de um amigo nunca será revelada, pois esse é como um segundo eu. Se observarmos esses dois instintos manifestando-se nos animais, sejam eles do ar, do mar ou da terra, selvagens ou domesticados — o primeiro, o amor por si mesmos, que é inato em todos os seres vivos, e o segundo, o desejo de encontrar e se unir a outros seres de sua própria espécie — e se essa ação natural for acompanhada pelo desejo e por algo semelhante ao amor humano, quanto mais isso deve ocorrer nos seres humanos, de acordo com a lei de sua própria natureza? Pois o homem não apenas ama a si mesmo, mas busca outro cujo espírito possa se fundir com o seu, quase se tornando um único ser.

XXII

No entanto, a maioria das pessoas, de maneira irracional e até mesmo sem modéstia, deseja ter um amigo que elas próprias são incapazes de ser e espera deles o que elas mesmas não oferecem. O caminho correto é primeiro ser bom você mesmo e depois procurar alguém de caráter semelhante. É entre pessoas assim que a estabilidade na amizade, da qual falamos, pode ser garantida. Ou seja, quando pessoas unidas pelo afeto aprendem, em primeiro lugar, a dominar as paixões que escravizam os outros e, em seguida, a se deleitar com uma conduta justa e equitativa, a compartilhar os fardos uns dos outros, a nunca pedir algo que seja incompatível com a virtude e a retidão, e não apenas servir e amar, mas também respeitar uns aos outros.

Quando falo de "respeito", quero dizer que, se o respeito desaparece, a amizade perde sua qualidade mais valiosa. Isso mostra o equívoco de quem imagina que ela dá permissão à licenciosidade e ao pecado. A natureza nos deu a amizade como uma serva da virtude, não como uma parceira da culpa; para que a virtude, sendo impotente quando está isolada, possa alcançar seus objetivos mais elevados em união e parceria com outra pessoa. Aqueles que estão desfrutando atualmente, desfrutaram no passado, ou estão destinados a desfrutar no futuro de uma parceria como essa, devem ser reconhecidos como tendo conquistado a mais excelente e promissora união a fim de alcançar o maior bem que a natureza oferece. Essa parceria combina retidão moral, reputação, paz de espírito e serenidade — tudo o que os seres humanos consideram desejável, pois com eles a vida é feliz, mas sem eles não se pode ser

Sendo esse nosso objetivo maior e mais elevado, devemos dedicar-nos à virtude, se quisermos alcançá-lo. Pois sem virtude, não podemos obter amizade nem qualquer outra coisa desejável. De fato, se negligenciarmos a virtude, aqueles que pensam ter amigos descobrirão seu erro assim que algum grave infortúnio os forçar a julgar suas amizades.

Portanto, repito várias vezes: você deve usar seu julgamento antes de envolver suas emoções. Não ame primeiro e julgue depois. Cometemos muitos erros por descuido em várias áreas de nossas vidas, especialmente ao selecionar e cultivar nossas amizades. Estamos colocando a carroça na frente dos bois e fechando a porta do estábulo depois que o cavalo foi roubado, desafiando o velho provérbio. Muitas vezes, nos envolvemos em intimidades de longa data ou por obrigações reais e, de repente, surge alguma causa de ofensa e rompemos nossas amizades sem pensar.

XXIII

Isso torna essa negligência em um assunto de extrema importância ainda mais digno de crítica. Chamo de "extrema importância" porque a amizade é a única coisa cuja utilidade todos concordam unanimemente. Isso não acontece nem mesmo com a virtude em si; muitas pessoas falam dela com desdém, considerando-a mero orgulho e autoglorificação. E também não é o caso das riquezas. Muitos a menosprezam, contentando-se com pouco, encontrando prazer em uma alimentação e vestimenta simples. E quanto aos cargos políticos pelos quais alguns têm um desejo ardente, quantos não têm um desprezo tão grande por eles a ponto de considerá-los vazios e triviais!

E assim acontece com outras coisas também. Aquilo que é desejável aos olhos de alguns é considerado inútil por muitos. Mas, em relação à amizade, todos têm a mesma opinião, seja aqueles dedicados à política, aqueles que se deleitam com a ciência e a filosofia, aqueles que seguem um estilo de vida privado e se preocupam apenas com seus próprios assuntos, ou até mesmo aqueles que se entregaram completamente à sensualidade — todos eles pensam, eu digo, que sem amizade a vida não é vida, caso desejem que pelo menos uma parte dela seja nobre. A amizade, de uma forma ou de outra, permeia a vida de todos nós e não permite que nenhuma carreira esteja completamente livre de sua influência.

Mesmo que alguém tenha uma natureza tão grosseira e antissocial a ponto de detestar e evitar a companhia humana, como foi o caso de um certo Tímon em Atenas, até mesmo essa pessoa não seria capaz de resistir à necessidade da busca por alguém com quem compartilhar e liberar a amargura que a consome. Veríamos isso com mais clareza, se fosse possível que um deus nos levasse para longe dessas aglomerações e nos colocasse em algum lugar de perfeita solidão, nos fornecendo abundantemente tudo o que é necessário para a nossa existência e, no entanto, nos privando completamente da oportunidade de olhar para outro ser humano. Quem seria capaz de suportar tal vida? Quem não perderia o gosto por todos os prazeres na solidão? Esse é o ponto de observação do filósofo grego Arquitas de Tarento, conforme ouvi em terceira mão: homens que eram superiores a mim contaram a seus superiores, que me contaram. Era algo assim: "Se um homem pudesse ascender aos céus e ter uma visão clara da ordem natural do universo e da beleza dos corpos celestes, esse espetáculo maravilhoso lhe proporcionaria pouco prazer, se ele não tivesse alguém para quem contar o que tinha visto". Tão verdadeiro é que a natureza abomina a solidão e sempre se apoia em algo como um suporte; isso é encontrado da forma mais agradável possível em nosso amigo mais próximo.

XXIV

Bem, apesar da natureza nos transmitir tantos sinais sobre o que ela quer, busca e deseja, nós a ignoramos, por algum motivo; e as advertências que nos dá escapam à nossa compreensão. Certamente, utilizamos a amizade de várias maneiras diferentes, o que resulta em muitos motivos de suspeita e desconforto, os quais cabe ao sábio evitar, amenizar ou suportar. De qualquer forma, existe uma susceptibilidade a corrigir na amizade, a fim de preservar sua utilidade e confiabilidade: muitas vezes somos obrigados a fazer advertências e até mesmo repreensões aos amigos, e é necessário que o amigo em questão as aceite, quando feitas com boa intenção.

Mas, de uma forma ou de outra, há verdade no que meu amigo Terêncio diz em Andria[50]:

A complacência gera amigos, a verdade gera ódio.

Verdade cruel, pois faz nascer o ódio que é o veneno da amizade. No entanto, a complacência é ainda mais perniciosa, pois ao tolerar falhas, permite que o amigo escorregue para o abismo. No entanto, o mais culpado é aquele que, além de desprezar a verdade, deixa a complacência levá-lo a atos indignos. Portanto, em tudo isso deve-se ponderar, buscando evitar tanto a advertência categórica quanto a repreensão injuriosa; mas que essa "complacência" — usando a palavra de Terêncio — seja baseada na cortesia e rejeite a

---

50 Título da peça de teatro do dramaturgo Terêncio. (N. do T.)

adulação, que é aliada dos vícios e não é digna de um amigo, assim como de um homem livre. Viver com um tirano é uma coisa, viver com um amigo é outra.

No entanto, se um homem se recusa a ouvir a verdade de um amigo e fecha seus ouvidos para a clareza, podemos desistir da sua salvação. Essa observação perspicaz de Catão, compartilhada por muitos, é reveladora:

"Há pessoas que devem mais a inimigos amargos do que a amigos aparentemente agradáveis: os primeiros costumam falar a verdade, os últimos nunca."

Além disso, é um paradoxo estranho que aqueles que recebem conselhos não sintam incômodo onde deveriam, mas sintam tanto onde não deveriam. Eles não ficam nem um pouco perturbados por terem cometido um erro, mas ficam extremamente irritados por serem repreendidos. Pelo contrário, deveriam se entristecer com a transgressão, e se alegrar com a correção.

XXV

Bem, se é realidade que dar e receber conselhos — o primeiro com liberdade e ainda assim sem amargura; o último com paciência e sem irritação — é especialmente adequado à verdadeira amizade, não é menos verdade então que nada há de mais subversivo na amizade do que a lisonja, a adulação e a complacência vil.

Pois, independentemente dos nomes que possam ser dados, é necessário condenar tal vício vindo de pessoas frívolas e hipócritas, cujas palavras sempre buscam agradar, mas jamais expressar a verdade.

Utilizo uma variedade de termos para destacar esse vício presente em homens levianos e indignos de confiança, cujo único objetivo ao falar é satisfazer, sem levar em consideração a verdade.

Uma vez que esse disfarce em todas as áreas é prejudicial, pois desvia nosso julgamento da verdade e a distorce, ele repugna especialmente à amizade: arruína a veracidade, sem a qual a palavra "amizade" não possui qualquer valor. Pois a essência desta última é que duas mentes se tornem uma só, e como isso pode acontecer se a mente de cada uma das partes separadas não é singular e uniforme, mas variável, mutável e complexa? Pode haver algo tão maleável, tão inconstante, quanto a mente de um homem cuja atitude depende não apenas dos sentimentos e desejos de outro, mas até mesmo de seus olhares e acenos?

Se alguém disser "Não", eu respondo "Não";
Se "Sim", respondo "Sim".
Em suma, eu coloquei esta tarefa sobre mim,
Para ecoar tudo o que foi dito.

Terêncio[51] nos diz, por meio do personagem Gnathon, que é comum encontrar aquele tipo de amigo um tanto leviano. No entanto, existem muitos indivíduos semelhantes a Gnathon, e mesmo que sejam superiores a ele em termos de posição, fortuna ou reputação, sua complacência ainda é maliciosa quando combinada com certa inconsistência.

Ainda assim, se exercermos um cuidado razoável, é simples distinguir um verdadeiro amigo de um amigo dissimulado, como é fácil diferenciar o sincero e genuíno do pomposo e artificial. Até uma assembleia pública composta por pessoas com pouca instrução seria capaz de perceber claramente a diferença entre um demagogo oportunista — isto é, um cidadão adulador e pouco confiável — e um homem de princípios, posição e integridade. Foi com esse tipo de linguagem lisonjeira que Caio Papírio recentemente tentou agradar aos ouvidos do povo reunido, ao propor a lei que permite a reeleição dos tribunos. Eu me opus a isso. No entanto, deixarei a questão pessoal de lado. Prefiro falar sobre Cipião. Meu Deus! Quão impressionante foi o discurso dele, quanta majestade havia nele! Sem hesitação, você teria afirmado que ele com certeza não era apenas um mero seguidor do povo romano, mas seu líder. No entanto, você estava lá e, além disso, tem o discurso em suas mãos. O resultado foi que

---

51 Na peça *O Eunuco*, de Terêncio. (N. do T.)

SOBRE A AMIZADE

uma lei projetada para agradar ao povo acabou sendo rejeitada pelos votos do próprio povo. Mais uma vez, refiro-me a mim mesmo. Você se lembra de como a proposta de lei de Caio Licínio Crasso "sobre a eleição para o Colégio dos Sacerdotes" parecia popular, durante o consulado de Quinto Máximo, irmão de Cipião, e de Lúcio Mancino? Esta buscava transferir para o povo o poder de preencher as vagas nos colégios.

E ele foi o primeiro a expressar o desejo de se dirigir ao povo no fórum e buscar sua opinião. No entanto, seu discurso persuasivo não teve muito peso diante da crença nos deuses imortais, a qual defendi. Isso ocorreu quando eu era pretor, cinco anos antes de ser eleito para o consulado, o que mostra que a causa foi mantida com sucesso muito mais por seus méritosdo que pelo prestígio do mais alto cargo.

XXVI

Em um cenário como uma assembleia pública, a qual é essencialmente um palco onde há espaço para ficção e meias-verdades, a realidade ainda prevalece quando é aberta e trazida à luz do dia; então o que deveria acontecer no caso da amizade, que se baseia inteiramente na veracidade? Na amizade, a menos que ambos vejam e mostrem um coração aberto, como se costuma dizer, não se pode confiar nem ter certeza de nada — nem mesmo do afeto mútuo, já que a sinceridade não pode ser assegurada. No entanto, essa bajulação, por mais prejudicial que seja, não pode machucar ninguém, exceto aquele que a aceita e se deleita com ela. E assim, aquele que está mais disposto a ouvir bajuladores é o primeiro a se envaidecer, e tem maior apreço por si mesmo.

Eu admito que a virtude ama a si mesma naturalmente; afinal, ela conhece a si mesma e reconhece o quão digna de amor é. Não estou falando da virtude absoluta, e sim da crença dos homens sobre possuí-la. A verdade é que há menos pessoas dotadas de virtude do que desejam ser consideradas. São essas mesmas pessoas que se deleitam com a bajulação. Quando são abordadas de forma especialmente adaptada para lisonjear sua vaidade, elas veem tal adulação vazia como uma confirmação daquilo por trás dos elogios recebidos.

Portanto, não podemos chamar isso de verdadeira amizade, se um não está disposto a ouvir a verdade e o outro

SOBRE A AMIZADE

está pronto para mentir. Nem mesmo a obediência dos parasitas na comédia seria engraçada caso não houvesse capitães fanfarrões. Eles fingem disputas e lisonjeiam, mas acabam se submetendo e permitindo-se ser ridicularizados, para que a pessoa enganada possa acreditar ter sido a mais astuta:

"Taís realmente me tem muito reconhecimento? "

Seria suficiente responder: *"Sim, muito..."* mas Gnathon responde[52]: *"Muitíssimo!"* O adulador nunca perde a oportunidade, não importa em qual contexto, de exagerar ainda mais os desejos de grandeza da pessoa que deseja envolver.

Portanto, mesmo que essa triste e vã adulação não seja levada a sério, exceto por aqueles que nela se deleitam e a atraem, é importante que pessoas mais ponderadas e sérias estejam atentas para não caírem na armadilha de uma complacência habilidosa. O adulador que age abertamente não pode passar despercebido, a menos que seja um completo idiota; mas para evitar que o adulador habilidoso e dissimulado consiga se infiltrar, é necessário ser muito crítico. Pois é muito mais difícil detectar aquele que pratica a complacência através da contradição: para adular, ele finge contestar, e então entrega as armas no último minuto, para que aquele com quem discutiu pareça ter sido mais perspicaz do que ele. Mas o que há de mais vergonhoso do que ser enganado? Para evitá-lo, é necessário estar muito vigilante.

---

52   Na peça *O Eunuco,* de Terêncio. (N. do T.)

CÍCERO

"Como fui enganado! Nem mesmo sou um velho bobo;
Em qualquer dos palcos sempre somos enganados."[53]

Mesmo nas peças de teatro, a figura do velho imprevidente e crédulo representa a estupidez! No entanto, de alguma forma, acabei por me afastar da amizade dos homens perfeitos, ou seja, dos sábios — refiro-me àquela sabedoria que parece poder descer entre os humanos — e a discussão se desviou para as amizades de baixa categoria. Vamos retornar, portanto, ao nosso primeiro debate, que concluiremos em breve.

---

53 Do dramaturgo Cecílio, em *Incerta* — comédia. (N. do T.)

XXVII

A virtude, insisto, meus bons Caio Fânio e Quinto Múcio, ao mesmo tempo que concilia as amizades também as preserva. É nela que reside a concordância geral de todas as coisas, a estabilidade, e a constância: quando eleva e faz resplandecer sua luz, e depois percebe e reconhece a mesma luz em outrem, ela se aproxima e recebe, em recompensa, uma parte do brilho que vem do outro; no centro dessas interações, passa a brilhar, seja na figura do amor, seja na figura da amizade. Ambas as palavras têm a mesma raiz em latim; entretanto, amar não é nada além de querer bem aquele que se ama, sem tratar-se de preencher uma falta ou obter um benefício: o qual desabrocha sozinho, no contexto da amizade, mesmo que de maneira alguma tenha sido buscado.

Essa afeição, durante nossa juventude, a tivemos por homens velhos, como Lúcio Paulo, Marco Catão, Caio Galo, Públio Násica, e Tibério Graco, o sogro de nosso Cipião. Agora, sendo nós mesmos idosos, encontramos uma forma de tranquilidade na afeição dos jovens, como a sua, ou a de Quinto Tuberão; na verdade, experimento igualmente um prazer genuíno na afetuosa presença dos jovens Públio Rutílio e Aulo Virgínio. E visto que a vida e a natureza estão articuladas de tal modo que uma geração sucede à outra, é acima de tudo desejável acompanhar aqueles que zarparam ao mesmo tempo que nós e chegar com eles, como se diz, ao final da corrida.

CÍCERO

No entanto, devido à fragilidade e mortalidade humana, sempre teremos que buscar ao nosso redor pessoas que amamos e por quem seremos amados. Privada de afeto e simpatia, a vida não tem qualquer alegria. Para mim, afirmo, Cipião, que mesmo sendo subitamente arrebatado, vive e viverá para sempre: amei a virtude desse homem brilhante, e essa não se extinguiu. Não sou o único a testemunhar seu brilho diante dos meus olhos, eu que sempre o tive ao meu alcance, firme como uma lanterna: ele continuará a brilhar e será um farol para as gerações futuras. Ninguém jamais conceberá ambições ou esperanças um pouco mais elevadas sem pensar em tomar como modelo a memória e imagem de Cipião.

Resumindo, não há nada em tudo que recebi do destino ou da natureza que possa comparar à sua amizade. Nela, encontrei uma comunidade de concepções políticas, conselhos para meus assuntos privados e um descanso cheio de satisfação. Jamais o ofendi no menor detalhe, tanto quanto pude perceber; nada ouvi dele que eu não quisesse ter ouvido. Tínhamos uma única e mesma casa, um estilo de vida semelhante, e isso nos aproximava. Além do tempo que passávamos juntos no exército, também nos reuníamos durante nossos passeios pelo campo.

Por que falar sobre nossa constante busca por adquirir conhecimento, nossa vontade de aprender algo novo, ocupando nossas horas de lazer longe dos olhares do mundo? Se as lembranças e memórias dessas experiências tivessem desaparecido junto com Cipião, eu não poderia suportar a tristeza por alguém tão profundamente ligado a mim na

SOBRE A AMIZADE

vida e no afeto. Mas essas recordações não desapareceram; elas são nutridas e fortalecidas pela reflexão e pela memória. Mesmo que eu tenha sido privado delas por completo, ainda assim o tempo que me resta de vida traz consigo um certo consolo: pois não terei que suportar por muito mais tempo essa tristeza; e tudo o que é breve pode ser suportado, por mais intenso que seja.

Isso é o que eu tinha a dizer sobre a amizade. E já que não há amizade sem virtude, eu os encorajo a atribuir à essa uma importância tão elevada que, além dela, em seus pensamentos, nada seja mais valoroso do que a amizade.

**CONFIRA NOSSOS
LANÇAMENTOS AQUI!**

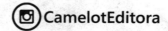